속 시원하게 살자

속 시원하게 살자

초판 1쇄 인쇄 2015년 10월 22일 / **초판 1쇄** 발행 2015년 11월 3일
지은이 이언구
발행인 유준원
고문 강원국
편집 박주연
디자인 이완수
발행처 도서출판 더클
공급처 명문사
출판신고 제2014-000053호
주소 서울시 금천구 디지털로9길 47 한신아이티타워 2차 402호
전화 (02) 6213-3222 **팩스** (02) 2025-3223
전자우편 thecleceo@naver.com

이 도서의 국립중앙도서관 출판예정도서목록(CIP)은 서지정보유통지원시스템 홈페이지(http://seoji.nl.go.kr)와 국가자료공동목록시스템(http://www.nl.go.kr/kolisnet)에서 이용하실 수 있습니다. (CIP제어번호 : CIP2015028908)

도서출판 더클은 독자 여러분의 책에 관한 아이디어와 원고 투고를 기다리고 있습니다. 출간을 원하시는 분은 thecleceo@naver.com로 개요와 취지, 연락처 등을 보내주세요.

프
롤
로
그

살다보면 속이 불편할 때가 참 많다.

속상하는 일이 있을 때에도, 술을 오지게 먹을 때에도, 보기 싫은 사람을 보았을 때에도, 체했을 때에도, 자식이 속을 썩였을 때에도, 아내가 바가지를 긁을 때에도, 속이 참 불편하다.

근데 나는 참 이상하다. 이지가지로 속이 불편할 때 무조건 똥을 눈다. 대박(?)을 터뜨리든, 힘들게 한 덩어리를 빠뜨리든, 변기에서 일어나는 순간 그렇게 시원할 수가 없다. 마치 천근도 더 되던 몸이 갑자기 날아갈 것처럼 속이 후련하다. 오장육부가 시원하다. 말끔하다 못해 10년은 젊어지는 느낌을 받는다.

바로! 이거다!

이 시대 최고의 화두인 소통도 이런 것이다. 변기에 앉아 있을 때마다 나는 생각해 왔다. 세상이 복잡해질수록 소통 또한 더욱 어려워진다.

그러나 아무 생각 없이 마려우면 나오는 똥처럼, 나오는 것을 거역

하지 말고 순리대로 맘껏 밀어낸다면, 그렇게 해서 온몸이 가벼워지고, 산뜻해지고, 날아갈 듯 상쾌해진다면 이것이 바로 소통이 아니겠는가!

세상 사람들이여!

소통을 하자. 후련하게 미련 없이 똥을 싸자. 그러면 속이 편해진다.

어렵던 시절 작고하신 어머님께서 하시던 말씀이 생각난다.

'누구든 세상을 살아가는 사람들은 각자 살아온 과정을 글로 남기면 아마 책으로 몇 권씩은 쓸 수 있을 것'이라고 하시던 말씀을 들은 기억이 있다. 이제와 곱씹어보니 어머님 말씀은 정답이었다.

살아온 날들을 되돌아보니 잘한 것보다 후회되는 부분이 훨씬 더 많다. 옳게 판단했다는 것보다 좀 더 신중하고 겸손하게 했어야 했다는 후회들이 더 많다.

많이도 망설였지만 그래도 지금 책 쓰기는 잘했다는 생각이 든다.

이유는 책을 쓰는 동안 처절하게 나를 돌아보게 되었고, 앞으로 더욱 성실하게 살아가자고 다짐을 하는 시간이 되었기 때문이다.

목이 메도록 후회도 하고, 목이 터져라 소리쳐 웃어 보며, 뭔가 가슴 속 깊이 응어리진 돌덩이 같은 무게감을 털어내는 듯한 기운도 느껴진다. 속이 후련해지는 이 시간이 참으로 행복하다.

그동안 분에 넘치도록 사랑해주시는 여러분이 있었기에, 죽도록 사랑하는 가족이 있기에, 앞으로도 더 열심히 일할 수 있는 스스로의 용기와 희망이 있기에 나는 너무나 행복하다.

스스로의 독백에 불과하겠지만 한 인간의 처절한 몸부림이었다고 혜량해주시길 바란다.

어머니는 장터에서 5원짜리 국수도 사 먹지 못할 만큼 가난하게 사셨다.
농사지을 땅 한 평 없이 살았지만 5남매를 고등학교까지 마치게 해
주셨다. 형편은 어려워도 자식들을 가르쳐야 한다는 집념 때
문이었다. 그런 모습을 지켜봤기에 장남인 나 역시 동생
들을 헌신적으로 돌보려 했다. 가정을 이룬 후에는
자식들에게 훌륭한 아버지가 되기 위해 노력
했고, 지금도 이를 실천하고 있다.

속시
원

하게
살자

1부

"인생은 점과 점을 연결해나가는 것이다"

인생은 점과 점을 연결해나가는 것이다

누에가 무서웠던 어린 시절

[옛날보다 지금이 나은 이유는 뭔가가 하나 더 있기 때문이다. 그것은 바로 추억이라는 것이다]

- 피터 빅셀 -

나는 1955년 2월 28일(음력) 충북 괴산군 장연면 조곡리에서도 가장 윗마을인 상리에서 아버지 이종현(89)과 어머니 이기정(1996년 작고) 사이 넷째 아들로 태어났다. 어릴 적 우리는 꽤 큰 집에서 살았다. 집주변에는 커다란 호두나무가 여러 그루 심어 있었다. 호두나무에 붙은 벌레들이 너무 커서 벌레만 보면 무서워 도망을 쳤다. 호두를 까다 보면 냄새가 그렇게 고약할 수 없었다. 지금도 어린 시절 엄마랑 할머니랑 함께 호두를 까며 지내던 추억이 떠오른다.

내가 아장아장 걸어 다닐 무렵 외할머니 댁이 있는 충주시 수안보면 온천리 오산마을로 나들이를 자주 갔다. 엄마는 외동딸이었고, 외할머니 댁은 우리보다 훨씬 부유하게 살았다. 당시 외할머니 댁은 누에를 많이 길렀다. 안방, 사랑방, 건넌방 할 것 없이 누에로 득시글거렸다. 방마다 하얀 누에가 뽕잎을 쓸어 먹는 '사각사각' 소리가 났다. 누에들이 뽕잎을 갉아먹는 모습을 보면 무서워 잠을 못 이루었다. 운 좋게 잠이 들었다가도 누에의 사각사각 소리가 들리면 잠이 확 달아나곤 했다. 한 번은 외가에서 잠을 자는데 느낌이 이상했다. 눈을 떴더니 누에가 내 얼굴 위로 스멀스멀 기어 다니고 있는 게 아닌가! 기겁한 나머지 고래고래 고함을 지르며 엄마한테 "다시는 외가에 오지 않겠다"고 야단법석을 피웠던 기억이 난다.

괴산에 정착하기 전에 아버지는 할아버지와 함께 춘천에서 살았다고 했다. 할아버지는 춘천에서 부자였고, 선영도 있었다. 6·25전쟁이 나자 할아버지는 괴산으로 잠시 피란을 오셨는데 이곳에서 뇌출혈로 돌아가셨다. 그 후 아버지는 춘천으로 되돌아가지 못하고 괴산에서 할머니를 모시고 작은아버지와 셋이서 살게 되었다.

어머니 말씀으로는 당시 시골에는 의원이 귀했다고 한다. 아버지의 친척 중에 의원이 계셨는데 이 분이 시골 마을들을 돌아다니면서 침을 놓고 뜸도 떴다. 당시 아버지가 사시던 장연면 조곡 마을과 어머니의 친정인 온천리 오산마을은 그리 멀지 않은 거리였는데 이분이 아버지와 이웃 동네에 사는 어머니 중신을 해주셨다. 어머니는 그냥저냥 사는 집이라는 말만 듣고 결혼을 허락했다고 한다. 막상 시집을 와보니 집엔 숟가락도 제대로 없었고, 어머니가 시집오던 날은 소고기 두 근을 사서 잔치를 했다는 소리를 들었다고 했다. 그만큼 아버지 집안은 어려웠다. 얼떨결에 시집온 어머니는 처음엔 매일 같이 울었다. 할머니는 이런 며느리를 자주 타박했지만 다행히 아버지는 어머니와 결혼 후 매우 열심히 사셨다고 한다. 덕분에 우리 집은 방앗간 두 곳을 운영할 정도로 형편이 나아졌다.

"저 놈도 갖다 버려라"

[언제까지 계속되는 불행이란 없다]

- 로맹 롤랑 -

부모님들은 방앗간 일을 하며 우리 형제들을 키우셨다. 그러던 중 아버지와 작은아버지가 함께 군에 입대했다. 우리 집엔 내 위로 연년생 형들이 셋이나 있었다고 한다. 이는 어머니 뱃속에서 내가 태어나기 전의 일이다. 아버지가 군대에 가고 얼마 안 있다가 우리 집 방앗간 두 곳에 원인 모를 불이 났다. 불은 순식간에 모든 것을 잿더미로 만들었다. 아버지가 제주도에서 신병훈련을 마치고 첫 휴가를 나왔을 때 집안에는 더 끔찍한 사건이 기다리고 있었다. 어머니가 잠시 집을 비운 사이에 내 위 형 셋이 선반에 응급약으로 숨겨둔 빨간 양귀비를 먹고 모두 숨진 사건이 벌어진 것이다.

밭에서 일을 마치고 돌아온 어머니는 애들이 보이지 않자 동네방네 찾아 나섰다. 아이들은 세 명 모두 집에서 20m 떨어진 동구 밖 샘물에 숨진 채로 둥둥 떠 있었다. 휴가를 나왔다가 처참한 장면을 목격한 아버지는 기가 막혔는지 잠시 정신이 나갔던 모양이었다. 급기야는 태어난 지 얼마 되지 않은 핏덩이인 나를 향해 "저놈도 갖다 버려라"라고 고래고래 소리를 질렀다. 아버지의 불호령에 놀란 어머니는 나를 이불에 덮어 일단 배나무 밑에 숨겼다. 이틀이 지난 후에 할머니는 아버지 몰래 나를 다시 집으로 데려왔고, 아버지는 바로 부대로 복귀했다.

졸지에 아들 셋을 한꺼번에 잃고 시어머니를 모시며 핏덩이인 나를 데리고 살아야 했던 어머니는 얼마나 억장이 무너지는 심정이셨을까? 지금도 그때의 상황을 상상하면 끔찍한 생각이 든다. 그럼에도 나는 무럭무럭 자라났고, 세월은 흘러 아버지도 군 복무를 마치고 무사히 집으로 돌아왔다. 내가 살던 조곡은 아주 산골 마을이다. 산이 높고 골이 깊어 새가 많이 모여든다고 해서 새실 또는 조곡이라 불렀다.

어머니는 살아생전 모두 9남매의 자식을 낳았다. 내가 다섯 살 되던 해에 아버지는 세 살짜리와 한 살짜리 두 동생을 데리고 6km 정도 떨어진 수안보면 문강리 문산으로 이사했다.

'가는 말만 곱고 말자'

[내가 남에게 베푼 것은 마음에 새겨두지 말고, 나의 잘못은 마음 깊이 새겨두어라. 남이 내게 베푼 것은 잊지 말고, 남에게 원한이 있거든 잊어버려라]

– 채근담 제51장–

'오래 살려면 베풀라'는 말이 있다. 남에게 베푸는 사람은 실제로 베풂을 받는 사람보다 오래 산다는 연구결과도 있다. 미국 미시간대

인생은 점과 점을 연결해나가는 것이다

학교 사회연구소의 스테파니 브라운 박사는 1987년부터 423쌍의 노년부부를 무작위로 선정하여 5년 동안 이들이 노년의 삶을 어떻게 살았는지 조사했다. 친구, 친척, 이웃에 어떤 도움을 주었는지 또는 어떤 도움을 받았는지를 조사해보고 이들의 사망률과 연관 지어 분석해본 것이다. 그 결과 남을 돕는 사람들은 그렇지 않은 이들보다 오래 산 반면, 남한테 도움을 받은 사람들은 오래 사는 것과 별 관련이 없었다. 브라운 박사는 이 사실을 통해 '남에게 도움을 주는 것이 장수의 비결'이라고 발표했다.

내 아버지는 물려받은 땅이 없었다. 시골에 살면서 한 평의 땅도 없었던 아버지는 당숙이 신문사 지국을 할 때 총무로 있으면서 마을 이장 일도 맡았다.

아버지는 새로운 문물을 잘 받아들였다. 지금은 불법으로 금지된 배터리를 이용한 고기잡이가 처음 성행할 때 지게에 배터리를 묶은 등짐을 진 채 장화를 신고 물에 들어가면 비료 부대로 하나 가득 고기를 잡아 나오셨다. 미꾸라지, 붕어, 빠가사리라 불리는 동자개와 중태기, 가재, 민물장어들이 수두룩하게 잡혔다.

그러면 커다란 가마솥에 잡아온 고기를 몽땅 넣고 푹 삶았다. 그사이 어머니는 손으로 밀가루를 밀어 콩가루를 바르고 잘게 잘라서 누른 국수를 만들었다. 고기가 익으면 채로 쳐서 뼈와 가시는 발라내고 살코기만 남긴 상태에서 고추장을 풀고 국수를 넣은 뒤 다시 푹 끓였다.

국수가 익을 즈음엔 먹음직스럽게 듬성듬성 파도 썰어 넣었다. 그러면 지나가던 동네 사람들이 맛있는 냄새를 맡고 하나둘 우리 집으로 모여들었다. 이렇게 어죽으로 한두 그릇씩 배를 채우면 그걸로 행복했던 시절이었다. 나는 비위가 약해 비린내 나는 생선국수를 잘 먹지 못했다. 어죽을 끓이는 날은 굶는 날이나 마찬가지였다. 그러면 어머니는 나를 달래느라, 굵게 자른 국수 꽁다리를 장작불에 구워 별식으로 내게 내밀곤 했다.

방앗간 발동기로 타작하시던 아버지 모습도 선하게 떠오른다. 아버지는 스피커 사업도 했다. 요즘 식으로 말하면 유선방송이다. 인근 마을에까지 스피커를 달아주고 공지사항과 마을소식 등을 전했다. 아버지는 20년 넘게 동네 이장을 맡으셨다. 동네 사람들은 그 대가로 6개월에 한 번 쌀 한 말과 보리 한 말을 아버지에게 주셨다. 농사지을 땅은 없었어도 주민들과 더불어 살아가는 삶의 방식을 터득한 것이다.

뙤약볕이 내려쬐던 어느 여름날 내가 몸이 아파 학교에도 가지 못하고 누워있을 때다. 어머니는 약을 사러 장에 가시고, 나는 혼자 누워서 자다 깨다를 반복하고 있었다. 한나절이 훨씬 지나 돌아오신 어머니는 내게 약봉지를 내밀었다. 그리고 부엌에서 밥을 차려 왔다. 밥이라고 해봤자 수제비나 꽁보리밥이 전부였다. 그때는 맹물에 보리밥을 질게 해서 한나절 내버려두면 보리밥이 떡처럼 굳어졌다.

당시 충주 공설시장에서는 잔치국수 한 그릇을 5원에 팔았다. 어머니는 생전에 5원짜리 국수가 그렇게 먹고 싶었지만 돈을 아끼려고 한번도 사 드시지 못했다고 한다. 그저 보리밥을 찬물에 말아 시커먼 된장에 풋고추를 찍어 드시며 "잔치국수 한 그릇을 먹어봤으면 원이 없겠다"고 하셨다. 그러면서 "언구야! 나중에 크거든 열심히 돈을 벌어서 동생들을 잘 돌봐야 한다"라고 말씀하셨다.

인생은 점과 점을 연결해나가는 것이다

어머니는 기회가 날 때마다 "형 세 명이 한꺼번에 죽어 장남이 된 것이니 네가 장남 노릇을 제대로 하라"고 하셨다. 그러면서 "남에게 베풀되 베푼 건 베푼 것으로 끝내라. 베풀어준 만큼 나에게 해줄 것을 바라면 서운한 생각만 하게 된다"는 이야기를 자주 하셨다. 난 어머니가 하신 말뜻을 당시엔 알아듣지 못했다. 도대체 왜 그런 이야기를 하시는지 도무지 이해가 되지 않았다. 그런데 사회생활을 하는 동안 이런 일들이 실제로 벌어졌다. 나는 상대방에게 잘해 주었는데 상대가 내게 잘해주지 않으면 서운한 감정이 일었다. 특히 한솥밥을 먹으며 함께 지내던 사람들이 서운하게 하고 떠날 때 "베푼 건 베푼 것으로 끝내라. 그걸 서운하게 생각하면 안 된다"던 어머님의 말씀이 떠오를 때마다 '썰물이 있으면 밀물이 있겠지', '가는 말이 고와야 오는 말이 곱지' 라는 생각을 아예 접기로 했다. '내가 판을 깔고자 하는 마음이 있었으면 그걸로 만족해야 한다. 그 이상 뭘 더 바라는가!', '가는 말만 곱고 말자' 라고 생각을 고쳐먹었다. 지금도 어머니 말씀처럼 남에게 해줄 수 있는 것은 최선을 다하되 남에게 바라지 않는 삶을 살려고 노력하고 있다.

어머니는 장터에서 5원짜리 국수도 사 먹지 못할 만큼 가난하게 사셨다. 농사지을 땅 한 평 없이 살았지만 5남매를 고등학교까지 마치게 해주셨다. 형편은 어려워도 자식들을 가르쳐야 한다는 집념 때문이었다. 그런 모습을 지켜봤기에 장남인 나 역시 동생들을 헌신적으로 돌보려 했다. 가정을 이룬 후에는 자식들에게 훌륭한 아버지가 되기 위해 노력했고, 지금도 이를 실천하고 있다.

"학교고 뭐고 다 때려치워!"

[사람을 이롭게 하는 말은 따뜻하기가 솜과 같고, 사람을 상하게 하는 말은 날카롭기가 가시 같다. 한마디 말이 사람을 이롭게 함은 소중하기가 천금 같고, 한마디 말이 사람을 속상하게 함은 아프기가 칼에 베이는 것과 같다]

— 명심보감 —

중학교 2학년 때의 일이다. 우리 집에서 학교까지 가려면 윤갈미고개를 넘어 살미면 세성리 3번 국도까지 한 시간을 걸어 나와야 했다. 국도까지 나와 시내버스를 타면 충주 충일중학교까지 최소 1시간은 걸렸다. 중간에 싸리고개가 있는데 이곳을 다니는 시내버스는 힘이 달려서 고개를 넘지 못하고 고갯길 중간에서 자주 멈췄다. 그러면 승객들이 내려서 버스를 밀고 고개를 넘어가는 일도 잦았다.

해가 지면 무서워 고갯길을 혼자 다니지 못할 정도로 숲이 울창했다. 그런 우리를 위해 어머니는 한 시간을 걸어서 마중을 나오셨고, 어머니가 못 오시면 다른 친구 엄마가 대신 마중을 나오셨다. 그렇게 집으로 돌아가면 아홉 시가 넘었고, 다음날도 여섯 시에 일어나 어김없이 학교로 향했다. 지금은 그 길이 모두 포장이 되어서 단 20분이면 갈 수 있는 도로로 바뀌었다.

어릴 적 아버지는 어려운 형편에도 내가 해달라고 하면 요구를 거의 다 들어주셨다. 마을에 자전거도 우리 집밖에 없었다. 육상연습에 필요하니 출발을 알리는 총을 사달라고 하면 그것도 사주셨다. 이처럼 필요하다고 요구하면 다 사주시려 했다. 그렇다고 우리 집 형편이 넉넉한 것은 아니었다.

동생과 함께 중학교에 다니던 때의 일이다. 한 번은 학교에 수업료를 내야 하는데 아버지가 며칠이 지나도록 수업료를 주지 않으셨다. 화가 난 나는 아버지에게 몹쓸 소리를 하고 말았다.

"가르치지도 못할 거면서 왜 낳으셨어요?"

아버지는 나에게 가방을 내려놓으라고 손짓을 하셨다. 그리고는 순식간에 도끼로 책가방을 내리찍었다. 눈 깜짝할 사이에 벌어진 일이었다.

"학교고 뭐고 다 때려치워!"

화를 내는 아버지 모습에 겁먹은 나와 동생은 책가방도 챙기지 못하고 그대로 이웃에 사는 친구 박상옥이네 집으로 줄행랑을 쳤다. 상옥이 아버지는 내게 수업료 때문에 벌어진 자초지종 이야기를 들으시더니 말없이 우리 집을 다녀오셨다. 그리곤 나와 내 동생의 책가방을 주시고, 버스비까지 손에 쥐어주면서 "오늘은 그냥 학교에 가거라"라고 하셨다. 도끼에 가방이 두 번 찍히긴 했으나 책은 다행히 온전한 상태였다. 나는 상옥이 아버지가 해주신 그때의 자상함을 잊지 못해 요즘도 명절이 되면 인사를 드리러 간다.

한 번은 동생 율구가 수학여행을 가야 하는데 갈 돈이 없었다. 사정을 전해 들은 황제순 선생님이 동생을 불러 수학여행 갈 돈을 대신 건네주시면서 "아버지에게 가서 잘 말씀드려라!"라고 하셨다. 덕분에 동생은 수학여행을 잘 다녀왔다. 그 후 황제순 선생님과 아버지는 무척 친하게 지내셨다.

스티브 잡스의 점(點) 이야기

[사위지기자사(士爲知己者死)요 여위열기자용(女爲悅己者容)이라.
선비는 자기를 알아주는 사람을 위해 목숨을 바치고, 여인은 자기를
사랑하는 사람을 위해 얼굴을 고친다]

- 사마천의 사기(史記) 중에서 -

초등학교 6학년 때의 일이다. 하루는 차례에 따라 내가 주번을 맡게 되었다. 교장 선생님이 교실에 들어오시자 나는 큰 소리로 "열중쉬어! 차렷! 경례!"라고 힘차게 구령을 붙였다. 조수연 교장 선생님이 내 목소리를 들더니 "목소리가 우렁차서 좋다"고 칭찬하시며 웅변을 권유하셨다. 이때부터 나는 웅변반에 들어가서 활동했다.

나는 웅변가로서 타고난 재능이 있다고 생각한 적이 없다. 교장 선생님 외에 어느 누구도 내게 그런 이야기를 해준 사람도 없었다. 나도 목소리가 크다고 생각은 했지만 웅변에 재능이 있다고 생각하진 않았다. 더욱이 어릴 적 나는 내성적인 성격에다 세상에 대해 비판적이어서 삐뚤어진 행동을 많이 했다.

그날 교장 선생님으로부터 '목소리가 우렁차다'는 칭찬의 말을 듣고는 웅변을 시작했다. 웅변을 하면서 나에 대한 생각과 세상에 대한 시각도 조금씩 새롭게 바뀌기 시작했다.

사마천의 사기에 '사위지기자사(士爲知己者死)요 여위열기자용(女爲悅己者容)이라'는 말이 나온다. 즉, 선비는 자기를 알아주는 사람을 위해 목숨을 바치고, 여인은 자기를 사랑하는 사람을 위해 얼굴을

인생은 점과 점을 연결해나가는 것이다

고친다는 뜻이다. 사람은 이처럼 칭찬과 인정을 받으며 성장하고 발전하면서 인간관계도 좋아지는 것 같다. 교장 선생님이 나의 웅변재능을 알아주고 칭찬을 해주는 동안 나는 교장 선생님이 왠지 좋아졌다. 그러는 사이 나의 행동도 조금씩 적극적으로 바뀌었다.

중학교에 진학해서도 웅변활동은 계속됐다. 이제는 웅변장학생이 되어 공로상, 특별상 등도 많이 탔다. 고등학교 때에는 충북에서도 웅변을 가장 잘하는 학생으로 이름을 날렸다. 청주, 대전, 서울에서 열리는 각종 웅변대회에 출전하여 교육감상, 도지사상, 장관상을 휩쓸었다. 전국 규모의 웅변대회가 열리면 나는 언제나 충북대표로 참석했다.

그때는 학생웅변대회가 전국적으로 많이 열렸다. 북괴만행을 규탄하는 '상기하자 6·25', '법의 날', '인권옹호 웅변대회' 등 대회가 숱하게 열렸다. 충주여자중학교 강당은 시내에서 가장 커 웅변대회가 많이 열렸다. 대회가 열리는 날에는 학교마다 한 학급씩 학생들이 방청을 하러 왔다. 그때 내 인기가 얼마나 좋았으면 여중학교 화장실에 내 이름이 쓰여 있을 정도였다. 웅변을 하면서 나는 사회생활도 일찍 깨우쳤다. 또래 친구보다 나이가 많은 사람들과 어울려 각종 대회에 출전하다 보니 자연스럽게 친구보다는 선배들과 접촉이 많아졌다. 어른들이나 선배들과 지내는 시간이 많아지면서 또래 친구들과의 관계는 다소 소원해지기까지 했다.

특히 고등학교에 진학한 후에는 충주고, 농고, 공고, 상고 등 5개 고등학교 학생회장, 부회장들과 모임도 만들었다. 이 모임을 정기적으로 주도하면서 친목 도모도 하고 우리의 앞날에 관해 토론하는 시간도 가졌다.

지금도 기억나는 사람들이 김기호, 유남희, 이춘복, 유성섭, 이명자, 김순희, 조명숙 친구들로 이들과 가장 많이 어울렸다. 얼마 전 이중 한 멤버였던 이명자 현 단양군의회의원을 40년 만에 해후한 적이 있다.

고등학교에서 웅변을 하는 동안 선거운동을 접할 기회도 생겼다. 당시에는 중고등학교 웅변 부에서 활동하면 선배들을 따라 일반선거에도 따라다니면서 유세하는 방법을 어깨너머로 자연스럽게 익혔다. 학창시절 웅변의 추억과 소중한 경험들은 나의 삶에 자양분이 되었고, 지금 사회생활을 하면서 웅변과 떼려야 뗄 수 없는 삶을 살아가고 있다.

애플의 창업주 스티브 잡스는 스탠퍼드대학교 졸업식에서 명연설을 남겼다. 이 자리에서 그는 점(點)에 대한 이야기, 사랑과 상실, 죽음 등 세 가지 화두를 던졌다. 이중 내게 무척 인상적으로 다가왔던 것은 첫 번째로 언급한 점(點)에 관한 이야기(The first story is about connecting the dots)였다.

간략하게 소개하면 이렇다. 스티브 잡스는 양아버지의 도움을 받아 명문 리드 칼리지(Reed College) 대학에 입학한다. 그러나 6개월 만에 스스로 자퇴를 결정한다. 그리고 자기가 듣고 싶었던 활자의 모양을 디자인하는 서체(書體, Font system) 강의만 몰래 들었다. 이것이 훗날 그에게 커다란 도움이 될 줄은 상상도 하지 못했다. 그로부터 10년이 지난 후 그는 매킨토시라는 개인용 컴퓨터를 처음 구상하게 되고, 학창시절에 배운 아름다운 서체를 개인용 컴퓨터에 탑재하게 된다. 한마디로 '서체강의'만 듣던 '점(點)을 찍는 행위'가 매킨토시라는 개인용 컴퓨터를 처음 구상할 때, 아름다운 서체를 매킨토시에 탑재하는 형태로 연결된 것이다.

나도 마찬가지였다. 학창시절에 배운 '웅변'이라는 하나의 점(點)이 10년, 20년, 30년 후 나의 삶과 연결이 되리라고는 꿈에도 생각하지 못했다. 웅변을 한 덕분에 군대에 가서도 웅변대회에 출전하게 되었고, 사회에 나와서는 웅변능력을 발휘하여 도의원이 되고, 도의회의장까지 되었으며, 지금은 강사로 활동하는데 도움을 받고 있다. 인생은 점과 점을 연결해나가는 과정이다. 미래로 향하는 점과 점들을 어떻게 이어가느냐가 인생에서는 참으로 중요하다는 생각이 든다.

소통의 허브, 동네 이장

[무슨 일이든 관심이 없는 사람보다 관심이 있는 사람에게 정보는 보다 빠르게 전달된다]

– 조기홍 –

고등학교 시절 나는 공부를 소홀히 했다. 대신 사회활동을 더 열심히 했다고 할까? 나보다 나이 많은 사람들과 원만하게 지내는 방법을 터득하면서 사회를 일찍 알았다. 1974년 고등학교를 졸업할 무렵엔 빨리 돈을 벌어서 동생들을 가르쳐야겠다는 생각밖에 없었다. 학교를 졸업하고 집에서 잠시 쉬는 동안에 이장을 맡고 있는 아버지 어깨너머로 많은 것들을 배웠다.

아버지는 한마디로 동네 정보통이었다. 전화기, 발동기, 유선방송 시설까지 갖춘 우리 집은 늘 사람들로 북적였다. 전화도 동네에서 우리 집에만 있었다. 전화가 오면 스피커를 통해 "OOO 씨! 전화 왔어요!"라고 방송을 했다. 그러면 밭에서 들에서 일하던 사람들이 우리 집으로 달려왔다. 이장, 유선방송, 전화가 소통의 허브 역할을 톡톡히 한 셈이다. 덕분에 나는 집에서도 많은 고급정보(?)를 들을 수 있었고, 세상 정보도 빠르게 접할 수 있었다.

하루는 아버지 친구분이 "충주는 단무지 무 재배 농사가 적합한 지역이니 단무지 공장을 해보라"고 아버지에게 권유하는 이야기를 우연히 듣고 단무지 공장에 깊은 관심을 두고 알아봤다.

당시 중원군청 농산과에 문의했더니 '농촌부업단지 조성'이라는 정책을 시행하고 있었다. 10명 이상이 모여 단체를 조직해서 단지를 만들면 부업단지로 지정해 농민들에게 자금도 지원해줬다. 정책자금이 은행에 배당되면 담보를 받고 장기 저리로 지원해주는 형식이었다.

부업단지 조성은 5가구나 10가구 이상이 단지조직을 구성해 생산성을 높일 목적으로 정부에서 지원해주는 제도였다. 충주의 남한강 주변은 토질이 좋아 단무지 무를 재배하기에 최적의 장소로 꼽혔다. 우선 2백여 평의 밭을 빌리고, 주변 사람들에게 보증을 부탁하여 2백만 원을 빌렸다. 그 돈으로 단무지 공장을 짓고 4천 관씩 들어갈 수 있는 탱크 8개를 만든 다음 농민들과 단무지 무 계약재배를 체결했다.

단무지 무 4kg 한 단을 4백 원에 산 다음 손으로 정성스럽게 손질하여 소금에 절이고 염도는 17도가 유지되도록 저장해두었다가 그해 겨울이나 봄에 시세가 좋을 때면 내다 팔았다. 생산원가가 7~8백 원 선이었던 단무지는 소풍 철에 팔면 보통 1,200원~1,500원 정도에 가격이 형성됐고, 품귀현상을 빚으면 2천 원까지 뛰었다. kg당 7백 원만 남아도 한해에 4만kg을 만들어 팔면 2,800만 원의 소득을 올릴 수

있었다. 단무지 사업은 소득이 짭짤했다. 덕분에 동생들 학비를 댈 수
있었다.

그래서 농민은 어쩌라고?

[1년을 내다보는 사람은 농사를 짓고, 20년을 내다보는 사람은 나무
를 키우고, 세기를 내다보는 사람은 사람을 키운다]
'- 진주시 국제농업박람회장에서 -

진주시 국제농업박람회장에 들렀다가 화장실에서 우연히 보았던 문
구다. 이 문구에 한이라도 맺힌 듯 누군가가 밑에 이런 댓글을 달아놓
았다.

"그래서 농민은 어쩌라고?"

농민의 삶이란, 이처럼 고달프고 힘겹다. 어찌 보면 농민들은 땅을
믿고 하늘을 보며 내일을 내다보는 지혜로운 삶을 사는 것인지도 모
른다. 사람은 필요에 의해 선택하고 쓸모없음에 버릴 줄 안다. 그러나
필요함에도 가지지 못하고 쓸모없음에도 간직하는 사람들이 있다. 농
민들이 그런 심정이라고 하면 도시 사람들은 이해할 수 있을까? 농민
들의 사정을 속속들이 파악하기란 쉽지 않다. 시골에 살아도 농사를
지어보지 않았다면 농부의 속내를 헤아리기란 쉽지 않다. 우리 집은
땅도 한 평 없고, 농사도 안 지었다. 그래도 일꾼은 한두 명씩 있었다.
나는 단무지 사업을 하면서 농민들의 속내를 조금씩 알게 됐다. 농민

들은 피땀 흘려 농사를 지어놓고도 농산물 가격을 제대로 받지 못해 괴로워했고, 막걸리 한 잔을 들이켜면서 이러한 울분을 토로하는 분들이 많았다.

예를 들어 배추는 평당 4~5포기가 자라는데 팔려나가는 시세는 평당 3백~4백 원 정도에 매집상에게 팔린다. 이를 포기당 가격으로 따지면 75~80원 수준이다. 반면 소비자들은 수매가격보다 5~10배 비싼 375원~800원에 배추를 사 먹는다. 이처럼 왜곡된 가격을 보면서 농산물의 유통구조가 잘못돼도 너무 잘못됐다는 생각이 들었다.

농민들은 목돈을 만지기도 어렵다. 장사를 하는 사람들은 밑지든 남든 주머니에 늘 돈이 있어서 일상생활에 어려움은 덜하다. 하지만 농민들은 다르다. 담배를 많이 재배하는 농가는 1년 동안 담배농사를 지어 팔고 나서야 연말에 겨우 목돈을 만진다. 그나마 농약 대금, 자재비 등 빚을 갚고 나면 손에 쥐는 건 별로 없다. 배추농사도 씨앗을 뿌리고 몇 달을 가꾸어 수확을 걷은 후에라야 목돈을 만질 수 있다. 그래서인지 시골에서는 평소에 자금융통이 어려우니 생활 수준도 대체로 비참하다.

농사일 중에서 가장 어려운 것이 오뉴월 뙤약볕이 내리쬘 때 '삼전밭'에 들어가 조를 심는 일이다. 예전엔 밭에 심을 마땅한 작물이 없어서 조를 많이 심었다. 그런데 조는 잡초와 생김새가 비슷해서 조인지 잡초인지 구별하기가 쉽지 않다. 뙤약볕이 내리쬐는 밭에서 비 오듯 쏟아지는 땀을 흘려가면서 쪼그리고 앉아 조와 구별도 잘 안 되는 잡초를 일일이 손으로 솎아내려면 그야말로 죽을 맛이다. 이런 일을 하다 보면 농촌생활의 어려움을 뼛속 깊이 체험하게 된다.

그래서 옛사람들은 '삼전(三田) 밭'이라는 말을 많이 사용했다. 사람의 마음에는 경전(敬田)과 은전(恩田), 비전(悲田)의 밭이 있다는 것을 빗대어 표현한 말이다. 첫 번째 경전(敬田)은 공경하는 마음을 내어 복을 짓는 것이다. 공경할 만한 사람을 공경하면 한없는 복을 받는다고 했다. 두 번째 은전(恩田)은 은혜를 베풀거나 갚으면 복이 지어진다고 했다. 특히 은혜를 입고도 은혜를 갚지 않으면 복이 줄어들기 때문에 은혜는 반드시 갚고, 원한은 갚지 말아야 한다고 했다. 세 번째 비전(悲田)은 가난하거나 어려운 처지에 있는 사람들을 도와주고 연민의 정을 보내주는 것을 말한다. 남을 공경할 줄 모르고, 은혜를 갚을 줄 모르고, 연민의 정을 품을 줄 모르면 안 된다. 이 세 가지 밭을 경작하는 것이 인생의 풍년을 기약하는 것이다. 따라서 선조들은 밭농사를 지으면서도 이처럼 삼전 밭을 잘 가꾸면서 사는 것이 인생의 바른 자세이며 올바른 도리라고 가르친 것이다.

충청북도의회의장이 된 이후 빠지지 않고 꼭 참석하는 행사들이 있다. 4H 등 농민들이 주최하는 행사나 장애인 단체들이 초청하는 행사다. 이들로부터 초청장이 오면 나는 어떤 일이 있어도 참석하려고 한다. 그리고 농민들 일이라면 물불을 가리지 않는다. 특히 4H 지원조례나 농촌체험마을 조례 등 농촌과 관련된 조례를 제정하는 일이라면 더 적극적으로 나선다.

인간관계와 삶의 지혜를 터득해가는 4H 활동

[나의 머리(Head)는 더 명철하게 생각하는 데에, 나의 가슴(Heart)은 더 위대한 자부심을 가지는 데에, 나의 손(Hand)은 더 큰 봉사를 하는

데에, 나의 건강(Health)은 더 나은 삶을 위해 바친다]

- 4H클럽 선언-

4H운동은 1902년 미국의 농촌 젊은이들 사이에서 시작되었다. 한국에서 4H클럽을 중심으로 본격적인 4H운동이 시작된 것은 1960년대 이후다. 4H운동은 민간주도형의 대표적 지역사회운동이지만, 농촌지도사업의 중요한 모체가 되었다. 1960년 4·19혁명 이후로 대학생들은 방학 때마다 모두 농촌으로 향했다. 지역사회 계몽운동이 대학생 농촌봉사운동으로 계승된 것이다.

나는 지금도 충주시 4H클럽 연합회 소속이다. 청년 시절 시골에 살 때는 4H클럽 활동을 열심히 했다. 4H클럽은 마을청년들이 유일하게 다양한 부류의 사람들을 만나 교류할 수 있는 공간이다. 마을청년들은 너나 할 것 없이 4H클럽 회원에 가입한다. 4H클럽 활동을 통해 청춘남녀들이 만나고, 결혼도 한다. 나 역시 4H활동을 통해 많은 것들을 배웠고, 도움을 주고받았다.

4H 회원들은 동네에서 많은 회의도 가진다. 밝은 달밤에 동네 모래사장에 둘러앉아서 강강술래, 술래잡기, 수건돌리기를 하면서 친목 도모를 한다. 그 속에서 토론하고, 공동체 생활을 하면서 바람직한 인간관계와 삶의 지혜를 하나하나 터득해나가는 것이다.

4H 활동을 왕성하게 참여하던 무렵, 추석 때가 다가오면 나는 노래자랑대회 사회를 맡곤 했다. 추석을 전후해서 3일간 동네 사람들 4~5백 명이 모이면 노래와 장기자랑을 묶어 콩쿠르대회 예선, 본선, 결선을 치렀는데 이때 단골로 사회를 맡아 진행했다.

인생은 점과 점을 연결해나가는 것이다

70~80년대 농촌에서는 콩쿠르대회와 초등학교 운동회에 참여하고 1년에 한두 번 여름밤 동네학교 운동장에 모여서 군청 공보실에서 상영해주는 이동영화를 보는 게 유일한 문화적 혜택이었다. 콩쿠르대회가 열리면 인근 마을에서도 하루 저녁에 30~40명씩 찬조지원에 나선다. 지역의 유지나 어르신, 선생님들을 심사위원으로 모신 다음 동네에서 기타를 가장 잘 치는 사람을 불러 반주를 맡기고 지원자 한 명씩 올라오게 해서 노래를 부르게 했다. 당시 유행했던 노래들은 기러기 아빠, 울어라 열풍아, 섬마을 선생 등 주로 이미자 노래들이 많았다.

　서울에서 내려온 사람들이 모처럼 서울 소식을 전해주면 그것이 곧 도시와 농촌의 대화이고, 소통의 전부였다. 저녁 7시에 시작하여 노래 부르고, 장기자랑에 웃고, 즐기다가 밤 10시 무렵이 되면 1등에서 3등을 가렸다. 그렇게 사흘 저녁 동안 출전한 1백여 명은 각자 노래와 비장의 무기인 장기자랑을 선보였다. 그리고 본선과 결선을 거쳐 최종 선발된 수상자들에게는 비료 1포, 양재기, 양동이, 쇠스랑, 낫, 호미 등을 상품으로 지급했다.

　농촌청년들은 4H 활동을 하면서 농촌사랑에 대한 애정을 다진다. 배구대회도 하고, 우승기는 직접 제작해서 시상식을 한다. 한번은 청주여고 여학생 11명이 처음으로 농촌계몽 봉사활동을 하겠다고 우리 동네를 방문했다. 이들은 각자 먹을 음식까지 준비해 와서 동네 마을 회관에서 숙식 하면서 봉사활동을 벌였다.

　지금도 기억나는 사람이 '이인숙'이라는 예쁜 여고생이다. 그녀의 부모는 청주시 남문로 2가에서 금은방을 한다고 했다. 나보다 한두 살 위로 기억되는데 내가 당시에 본 그녀는 선녀처럼 느껴졌다.

잘 맞는 교복에다 맵시 있는 얼굴, 우리와는 전혀 다른 말투를 쓰는 것조차도 신기하게 들릴 정도였다. 마을회관 마당에 둘러앉아 강강술래 수건돌리기를 하는데 그녀는 돌리던 수건을 꼭 내 뒤에 갖다 놓고 자리에 앉았다. 난생처음 도시 여학생들을 접한 나를 비롯한 마을 청년들은 얼굴도 예쁘고, 사회도 잘 보면서 우리에게 상냥하게 대하는 선녀 같은 그녀에게 혼(?)을 빼앗겨버렸다. 꿈속처럼 느껴진 1박 2일의 청주여고 학생 봉사활동이 순식간에 지나갔다.

그로부터 50여 년의 세월이 흘러 도의장이 된 후 청주에 올 때마다 그때의 추억이 떠올랐다. 마음속으로 잊지 못하던 그녀가 생각나 수소문을 해보아도 소식을 아는 사람이 없었다. 그러다가 그녀의 부모가 운영했던 금은방을 하는 사람을 우연히 만나게 되어 소식을 물었더니 금옥당을 하던 분은 돌아가셨고, 내가 찾는 이인숙의 친오빠만 모 아파트에 살고 있다고 알려주는 것이었다. 오빠를 만나 그분의 소식을 알고 싶었지만 바쁜 일정 때문에 여태껏 확인해보지 못하고 있다.

155마일은 휴전선은 우리가 지킨다

[내가 일을 끝냈다고 해서 일이 끝난 것이 아니라 간부가 일이 끝났다고 해야 일이 끝난 것이다]

- 군대 명언 -

나라의 부름을 받은 나는 단무지 농사를 아버지에게 맡기고, 1975

인생은 점과 점을 연결해나가는 것이다

년 12월 15일 군에 입대했다. 입대하기 한 달 전쯤인 11월 초에 할머니 제사를 지내는데 마침 휴가를 나왔던 선배 이희수 형(현 충주시재향군 인회장)을 비롯해서 여러 선배들이 우리 집으로 놀러 왔다. 선배들에게 "다음 달에 군대에 간다"고 했더니 희수 형이 "춘천에 있는 103 보충대는 절대로 오지 마라!"고 신신당부하는 것이었다.

논산훈련소에서 고된 신병교육을 마치고 야간열차에 올라탔다. 날씨가 어찌나 추웠던지 귓불이 찢어지는 느낌이었다. 시간이 얼마나 흘렀을까! 어디인지도 모르는 군부대의 내무반에 도착했다. 우리는 잔뜩 긴장된 상태에서 훈련병 대기 내무반 3선에 정렬해 서 있었다. 막 자대 배치를 받은 터라 군기가 바짝 들어 감히 눈동자조차도 함부로 굴리지 못하고 있을 때였다. 누군가가 내 앞을 스쳐 지나가는데 어디서 본 얼굴이었다. 이희수 형이라는 생각이 들었다. 시간이 흐르면서 희수 형임을 확신하고 "희수 형!" 하고 큰 소리로 불렀다. 쳐다보는 얼굴을 얼핏 보니 형이 확실했다. 그러나 형은 내 얼굴만 확인하고 내무반을 떠났다.

그제서야 내가 15사단 50연대 2대대 8중대로 배치 받았다는 사실을 알았다. 하필이면 그렇게 오지 말라고 신신당부 하던 103 보충대로 왔단 말인가! 입대하기 한 달 전에 "103 보충대로는 절대로 오지 마라"고 당부하던 그의 모습이 떠올랐다.

그날 밤 10시쯤 됐을까! 누워서 취침하려는데 행정반에서 호출명령을 받았다. 행정병을 따라 벙커로 들어갔더니 식판 2개에 밥을 가득 담아놓고 희수 형이 나를 기다리고 있었다. 반가운 마음에 형을 부둥켜안고 한참을 울었다. 식판에 담긴 밥이 어찌나 맛있어 보이던지 순식간에 허겁지겁 먹어치웠다. 20여 분 남짓 희수 형과의 짧은 만남을 뒤로하고 다시 내무반으로 들어섰다. 그런데 이때부터 갑자기 배탈이 나서 죽을 지경이었다. 이등병은 화장실을 가도 3인 1조가 되어 움직여야 했다. 다른 병사들은 모두 잠을 자고 있었기에 설사를 참을 수 없어 불침번에게 사정을 이야기하고 간신히 화장실을 다녀왔다.

이튿날 15사단 50연대에 배속된 신병들은 대부분 전방으로 투입됐다. 강원도 철원군과 화천군 사이에 있는 적근산을 넘어 불빛도 없고 눈만 산더미처럼 쌓인 전선을 향해 완전군장을 한 채 걷고 또 걸었다. 드디어 최전방 철책선 GOP에 도착했다. 영하 30도의 강추위가 가뜩이나 긴장된 신병들의 몸과 마음마저 얼게 했다. 도착하자마자 GOP 마룻바닥에 담요 3장을 깔고 잠을 청했다. 누워서 천장을 바라보니 슬레이트 지붕 막사에 못을 박다가 깨져나간 구멍 사이로 하늘의 별들이 하나둘 보였다. 깨진 구멍 사이로는 세찬 찬바람이 들어오고 있었다. 그날 밤 두꺼운 양말을 신고 자는데도 발이 시려 제대로 잠을 이룰 수가 없었다.

이튿날 일어나서 식판에 아침밥을 배식받았다. 금방 퍼준 된장국도 온기가 어느새 사라지고 싸늘하게 식어 있었다. 그나마도 양이 부족한지라 한 숟가락이라도 더 먹으려고 안달을 했다. 식사를 마친 병사들은 각자 도랑으로 내려가 식판을 닦았다. 어쩌다 꽁치, 갈칫국을 먹은 날에는 찬물에 헹구어도 식판의 기름때가 빠지지 않아 지푸라기 수세미로 한참을 씻어야 했다. 보급받은 따뜻한 물 한 바가지로 세수 하고, 발도 씻고, 양말까지 빨았다. 얼음 밑으로 졸졸 흐르는 물로 헹군 양말에는 금세 살얼음이 얼어 있었다.

GOP 근무는 정말로 힘들다. 저녁 6시 해가 뉘엿뉘엿 질 때면 초소에서는 철야근무 준비를 서두른다. 매서운 강추위에 맞서 옷도 두껍

게 껴입고, 총과 탄창을 들고 군장까지 메면 몸놀림은 다소 굼뜨기 마련이다. GOP에 한번 투입되면 12시간씩 보초를 선다. 눈보라가 휘몰아치는 강추위 속에서 경계자세로 꼿꼿이 서 있으려면 많은 인내심이 요구된다. 그래도 155마일 휴전선을 우리가 안전하게 지키고 있어서 후방에 있는 내 부모, 내 형제들이 따뜻한 보금자리에서 편히 지내고 있다고 생각하니 많은 위안이 되었다. 이렇게 근무하고 다음 날 새벽 6시 막사에 들어오면 온종일 자다가 저녁에 다시 GOP에 투입되는 근무가 반복됐다. 그러던 어느 날 나를 행정병으로 차출했다는 소식이 들렸다.

사회의 축소판, 군대

[세상에 쓸모없는 물건이 없으며 쓸모없는 사람도 없다. 다들 제자리를 찾지 못해서 그러하니 기다리고 참아주고 또 쓸모 있는 사람에게 갖다 주며 사는 것이다]

- 소태산 대종사 -

중대장이 신참 중대원들을 소집해놓고 말한다.

김 중위 : 여기 피아노 전공한 사람 있어?

박 이병 : 네. 접니다.

김 중위 : 어느 대학 나왔나?

박 일병 : A대 피아노과 나왔습니다.

최 이병 : 저는 S대에서 피아노를 전공했습니다.

김 중위 : 오호 그래? S대 출신! 네가 이리 와서 피아노 좀 옮겨라.

족구시합을 앞두고 중대장이 신참들에게 묻는다.

김 중위 : 미술 전공한 병사는 일보 앞으로!

두세 명이 빠른 동작으로 나온다.

김 중위 : 자넨 어느 대학을 나왔나?

최 이병 : 네 C대 디자인과 나왔습니다.

고 이병 : 저는 H대 미대 3학년 다니다 왔습니다.

김 중위 : (흐뭇한 미소를 지으며) H대 출신이야?

고 일병 : 네. 그렇습니다!

김 중위 : 잘됐다. 족구 게임하게 여기 마당에 선 좀 그어라.

　　인터넷에 떠도는 군대 특기생 이야기들을 패러디한 것이다. 미술전공
자를 찾기에 손을 번쩍 들었더니 족구장 선을 그리라고 하고, 피아노
전공자를 찾아 손을 번쩍 들었더니 피아노운반 작업을 시켰다는 우스
갯소리다. 군대처럼 전공과 특기를 잘 활용하는 곳도 없다. 입대하면
병사들은 누구나 병적기록부에 취미, 특기, 가족사항 등을 적어 제출
한다. 군대에서는 이 기록부를 최대한 활용한다. 반기문 유엔사무총
장도 영어를 잘한 덕분에 군대에 있을 때 도움을 받았다는 내용이 있
어서 소개한다.

　　선임하사는 합참의장을 지낸 장창국 장군에게 반기문이라는 서울대학교
수재가 입대했다고 보고했다.
　　장 장군이 반기문 이병을 불렀다.

인생은 점과 점을 연결해나가는 것이다

"반 이병! 자네가 영어를 그렇게 잘하나?"

"아닙니다. 계속 공부하는 중입니다."

"그래? 그러면 군대에서도 계속 공부해보게!"

반기문은 장 장군의 영어교사로 차출되었고, 영어를 잘한 덕분에 상대적으로 편한 보직을 받게 되었다. 편하게 군대생활을 하게 되면서 기문은 이런 생각이 들었다. "특기가 있으면 어디에 가도 특혜를 받는구나. 고등학교 때는 영어 때문에 머리를 기르게 해주질 않나, 고생할 각오를 단단히 하고 왔건만… 그런데 이렇게 국방의 의무를 해도 되는 건가?" 〈중략〉

– 신웅진의 『바보처럼 공부하고 천재처럼 꿈꿔라』 중에서 –

나도 입대할 때 특기항목에 '웅변'이라고 적어서 제출했다. 그 바람에 각종 웅변대회에 출전하게 되었다. 덕분에 웅변실력을 더욱 다듬고 내공을 쌓아 사회에 나왔을 때는 능력을 백배 발휘하는 행운을 맞게 되었다. 행정병으로 차출되던 날 중대장이 불렀다.

"자네 웅변 얼마나 했어?"

"조금 했습니다."

"그럼 여기서 한번 시범을 보여 봐!"

학창시절에 갈고 닦았던 웅변 솜씨를 맛보기로 조금 보여주는 동안 나는 열정을 다해 우렁찬 목소리로 사자후(獅子吼)를 토해냈다.

"와아, 진짜 잘하네. 이언구 일병은 앞으로 대대 웅변 대표선수로 출전한다. 알았나?"

"넷. 일병 이언구! 알겠습니다!"

이후 나는 각종 웅변대회만 열리면 단골 선수로 출전했다. 당시는 북한을 '북괴'라 불렀다. 사회에서 대법원장, 국회의장, 대통령배 웅변대회가 매년 열릴 때 군부대에서도 1년에 4~5번 정도는 자체적으로 웅변대회가 열렸다. 대대, 연대, 사단 웅변대회가 예선대회 수준이고, 사단에서 선발되면 군단대회에 참가하게 된다. 나는 목소리가 우렁차서 1군 사령부 대표로 출전했다. 마지막은 육해공군들이 모여서 겨루는 국방부 웅변대회에서 국방부장관상을 놓고 최종 승부를 가린다.

부대장은 내가 웅변대회에서 좋은 성적이 나올 수 있도록 연습할 시간을 충분히 주는 등 많은 배려를 해주었다. 덕분에 대대, 연대, 15사단, 그리고 1군 사령부 대표로 단골 출전하게 됐고, 이후 나는 군대에서 주로 웅변만 했다.

군단 웅변대회에 출전하러 가던 어느 날이었다. 철원군 육단리 15사단은 거의 종점에 위치해 있다. 나는 아침 일찍 선임 장교와 함께 버스에 올라타 맨 뒤에 자리를 잡았다. 조금 후 화천 부근에서 27사단 장병들이 올라타는데 어디서 낯익은 목소리가 들렸다.

알고 보니 학창시절 알고 지내던 손창일 하사(현 충주문화원장)였다. 충주에서 웅변대회가 열릴 때마다 함께 대회에 출전하던 형이었다. 형은 27사단 대표로, 나는 15사단 대표로 선발되면서 군대에서도 만나게 된 것이다. 버스 안에서 고향 형을 만나니 무척 반가웠다.

그러나 승부의 세계는 냉정한 것. 나는 군단대회에서 우승을 차지하면서 다시 국방부 웅변대회로 진출했다. 웅변은 한 번 대회가 시작되면 예선에서 본선에 이르기까지 3~4개월씩 이어진다. 이런 대회가 연간 4~5회 이상 열린다. 이따금 민간주최 웅변대회에도 참여했는데 서울시민회관에서 열리는 전국대회에서 수상하면 포상휴가까지 보내줬다. 학창시절 웅변을 잘한 덕분에 나는 군대에서도 웅변만 하면서 말년까지 편안하게 지낼 수 있었다.

웅변을 잘한다고 소문이 나면서 장군들도 나를 알아보기 시작했다. 특히 방덕재 사단장(소장)은 나를 무척 아껴주었던 분이시다. 제대하던 날 사단장 앞에 가서 전역신고를 했다.

"병장 이언구는 00월 00일부로 전역을 명받았습니다. 이에 신고합니다. 충성!"

"이언구 병장이 제대하면 앞으로 우리 사단은 누구를 웅변대회에 출전시키니? 말뚝 박으면 안 될까?"

그는 아쉽다는 듯 내게 농담까지 건넸다. 그런 방덕재 사단장을 제대하고 1년 후 충주에서 우연히 만나게 되었다. 같은 사회인으로 만났지만 나는 그 옛날 모시던 장군처럼 깍듯이 예의를 갖췄다. 군대에서는 얼굴을 똑바로 바라보기조차 힘들었던 별과 함께 저녁 식사를 하면서 대화를 나눈다는 자체만으로도 나는 기분이 좋았다.

나를 무척 아껴주던 연대장도 있었다. 제대한 후 그가 장군이 되었다는 기쁜 소식을 접했는데 얼마 지나지 않아 그가 헬기를 타고 가다가 추락사고로 숨졌다는 비통한 뉴스를 들었다. 가슴이 먹먹해지는 느낌이었다.

남자가 사회에 나와서 군대 이야기를 하면 여자들이 넌더리를 내던 시절이 있었다. 그런데 요즘은 여자들이 지루해하고 싫어하던 군대 이야기가 오히려 사회에서 주목을 받는 시대가 되었다. 국내 최초로 군 생활의 추억을 담은 방송프로그램 〈푸른거탑〉은 남성에게는 군 시절에 대한 향수를, 여성에게는 말로만 듣던 군대의 일상을 여과 없이 보여주면서 많은 공감을 얻었다. 요즘에는 군대생활을 직접 체험해보는 예능 프로그램 〈진짜 사나이〉가 인기다. SNL코리아에서 GTA 특집 중한 시리즈로 나온 〈군대 GTA〉는 페이스북을 타고 폭발적인 인기를 누리고 있다.

대한민국 남자는 누구나 국방의 의무를 다해야 한다. 개인 생각이지만 군대생활 3년도 결코 헛된 시간은 아니라고 생각한다. 처음 군대에 입대할 때는 억울한 생각도 든다. 하지만 군대에서 세상의 모든 것을 배운다는 말이 있을 정도로 군대는 사회의 축소판이다. 군대를 다녀오면 이야깃거리도 풍부해진다. 거칠고 험한 군대조직에 단련되면 극한상황에서만 터득할 수 있는 인내심도 늘어난다. 또한 군대를 나와야 나라 사랑하는 마음, 부모에 대한 고마움, 그리고 다양한 개성을 가진 사람들과 동고동락하며 공존하는 방법도 배우게 된다.

이따금 군대도 갔다 오지 않은 사람들이 장관이나 총리로 지명될 때마다 "과연 저들이 나라 사랑하는 마음이나 있을까?" 하는 회의감이 든다. 그래서 정상적으로 병역을 마친 지도자들을 보면 격한 공감을 하게 되고 인간적으로도 더 신뢰감을 느끼게 된다.

농산물 직거래 사업을 시작하다

[나무를 베는데 한 시간이 주어진다면, 도끼를 가는데 45분을 쓰겠다]
- 에이브러햄 링컨 -

인생은 점과 점을 연결해나가는 것이다

"국방부 시계는 거꾸로 달아도 돌아간다. 눈 깜빡할 사이에 갈 테니 힘든 일이 있어도 꾹꾹 참아라!"

제대를 앞둔 병장들이 이등병인 내게 들려주던 말이다. 말년 병장을 보노라면 "내게도 저런 시절이 올까?" 한없이 부럽던 시절이 있었다. 신병 때에는 유독 나의 국방부 시계만 더디게 가는 것 같은 착각도 한다. 어느덧 나의 국방부 시계도 어김없이 막바지를 향해 달려가고 있었다. 군대는 먹어도 배가 고프고, 입어도 춥고, 자고 또 자도 졸린 곳이다. 군대에 있으면 늘 사회가 그립다. 언제 나갈 수 있을까, 제대 날짜만 손꼽아 기다린다. 시간이 멈춘 것 같은 때도 있다. 그러다 전역일이 다가오면 사회에 나가서 어떻게 살아야 할지 오히려 심각한 고민에 쌓인다.

사회에 나가면 무엇을 할 것인가 나름대로 고민을 하다가 갑자기 떠오른 아이디어가 있었다. 바로 농산물 직거래 사업이었다. 농촌에 살면서 4H클럽 활동도 열심히 했던 터라 농산물 직거래에 관심이 많았다. 농촌과 도시 간 농산물 직거래 사업을 하면 성공할 수 있겠다는 생각이 떠올랐다. 농산물이 제값을 받지 못하고 있으니 농산물 유통체계를 바꿀 필요가 있음을 누구보다도 잘 알고 있었다.

'농촌에 태어나서 농민들을 도와주는 사업이 바로 농산물 직거래 사업이다. 농민들의 아픔을 함께하고 이들에게 희망을 안겨주자!'

농산물 직거래 사업에 대해 확신이 서자 농민들에게도 도움이 되고 소비자들에게도 도움이 될 구체적인 계획들을 수립해보았다. 사업내용을 확정하고 함께할 사람들을 머릿속에 떠올려보았다. 이왕이면 웅변을 배우며 동고동락을 했던 선후배들과 함께하는 것이 좋을 것 같았다. 웅변대회에 참여했던 선후배들은 가난한 사람들이 많았다. 이들은 의리와 정으로 똘똘 뭉쳐 있었다. 전역하자마자 충주시청에 다니는 김근홍 선배, 부대에서 먼저 제대해서 제천군청에 다니던 이희수 형, 취업 준비 중이던 김정걸 후배 세 명을 찾아가 내 뜻을 밝히고 동참을 권유했다. 취지에 공감한 두 명의 공무원은 아예 사표를 던지고 합류했다. 넷이서 20만 원씩 갹출하여 모은 자본금 80만 원으로 '웅우농산'을 설립했다.

단무지 무 농사를 지으면서 안면이 있던 권영운 충주농협조합장과 권오협 담당자를 찾아가 "농산물 직거래 사업을 하려고 하니 도와 달라"고 요청했다. 당시 탄금대 일대는 시설채소 작황이 좋았다. 충주농협 협조를 받아 채소 작목반장에게 "농산물을 한곳에 모아주면 팔아주겠다"고 했더니 인근 일대에서 생산된 부추, 상추, 시금치, 당근, 오이, 깻잎, 수박, 참외, 토마토, 사과, 복숭아 등 온갖 채소와 과일을 집하장에 모아주었다.

밤 12시부터 집하장을 한 바퀴 돌면서 채소와 과일을 2.5톤 트럭에 모았다. 가지 수가 제대로 갖춰지지 않은 품목은 충주시 채소시장 이은출 협신상회 대표에게 구색을 갖춰 달라고 맡기고, 구색을 갖춘 농산물들만 싣고 새벽 2시에 서울로 출발했다.

6시 반 서울에 도착하면 간단하게 아침 식사를 하고 직거래를 시작했다. 아파트 부녀회에서 7~8시쯤 경비실을 통해 안내방송을 하면 주부들이 우르르 몰려나왔다. 장사가 잘 될 때는 수백 명씩 나와 싱싱한 농산물을 먼저 사가려고 북새통을 이뤘다. 12시 전에 농산물을 모두 팔고 내려오면 오후 4~5시쯤 충주에 도착했다.

이 같은 직거래 사업이 가능했던 것은 사전 준비작업을 철저하게 한 덕분이다. 실제로 나는 본격적으로 농산물 직거래를 하기에 앞서 서울 반포 2,3단지, 한신공영 아파트 1단지부터 7단지까지 일대 아파트 부녀회와 먼저 상견례를 했다. 믿음이 가도록 부녀회 간부들을 충주로 초청해서 탄금대 일대의 농사현장을 직접 보여주었다. 그리고는 수안보온천에서 목욕과 식사대접을 한 뒤에 배웅을 했다. 우리를 신뢰한 부녀회는 충주에서 올라온 농산물을 판매할 수 있도록 아파트 장소를 소개해주었고, 그 대가로 우리는 수익금 일부를 부녀회 기금으로 드리기로 약속했다.

부녀회의 협조 덕분에 농산물 직거래는 폭발적인 인기를 얻었다. 주부들은 무엇보다도 싱싱한 농산물에 찬사를 아끼지 않았고, 충주 농산물에 무한신뢰를 보내주었다. 탄금대에서 전날 오후에 직접 뽑은 당근은 잎도 자르지 않고 한 단에 10개씩 그대로 묶어서 5백 원씩에 팔았다. 얼마나 싱싱했으면 100단씩 가져갔는데도 10분도 채 안 되어 준비한 당근들이 모두 동났다.

수박도 보통 상인들은 어느 정도만 익어도 시장에 내놓지만 우리는 쩍쩍 갈라질 정도로 완숙된 것들만 골라서 2.5톤 트럭 한 차에 실어서 가져갔다. 인기가 얼마나 좋았으면 허리를 펼 시간도 없을 정도로 주부들이 몰려드는 바람에 30여 분 만에 가져간 7백~8백 개의 수박이 순식간에 동났다.

당시 조선일보 사회부 김석규 기자가 농산물 직거래 하는 모습을 취재해 갔는데 다음날 조선일보 사회면 톱에 실리는 등 언론의 엄청난 스포트라이트를 받았다.

이렇게 농산물 직거래 사업이 선풍적인 인기를 끌면서 운영한 덕분에 자본금 80만 원으로 시작한 웅우농산은 1년 만에 자산규모가 2천만 원으로 무려 25배나 증가했다.

선배의 갑작스러운 죽음

[친구들이여, 인생은 아주 짧아요. 그렇기 때문에 싸우거나 말다툼할 시간이 없어요]

- 비틀스 'WE CAN WORK IT OUT' 중에서 -

1년간 농산물 직거래 사업을 결산 후 번 돈으로 먼저 신형 마이티 3톤 트럭을 구입했다. 또한 직원 새마을금고 설립 준비도 서둘렀다. 당시에는 새마을금고 설립이 한창 유행했다. 정부는 은행을 이용하기 어려운 서민들을 상대로 소규모의 금융업 설립을 적극 지원해주고 있었다.

농산물 직거래 규모가 늘어나자 함께 할 사람들이 더 필요했다. 추가로 인원 2명을 모집했는데 이 중 한 명이 김동복 형이다. 나보다 한 해 선배였던 그는 손이 귀한 집안의 독자였는데 트럭운전을 잘했다. 트럭을 구입했기에 운전기사가 꼭 필요한 상황이었다.

그런데 그가 운전을 맡은 이후부터 사소한 일로 말다툼이 자주 벌어졌다. 그 여파로 감정의 앙금이 남자 사무실 분위기가 썩 좋지 못했다. 그러자 형은 "내가 나가겠다"면서 회사를 그만두었다. 그리고는 한창 공사가 진행 중이던 충주댐 사업의 덤프트럭 기사로 취업했다. 그렇게 자리를 옮긴 지 불과 며칠 되지 않아서였다. 그가 차량과 함께 굴러떨어지면서 현장에서 숨지는 충격적인 사고가 발생했다.

당시 우리는 모두 총각들이었다. 유복자인 동복이 형은 홀어머니를 모시고 살고 있었다. 충주시 대가미 마을에 있는 동복이 형 집은 우리 모두의 공동 집처럼 이용했다. 동복이 형 어머니가 해주시는 밥을 먹으면서 우리는 친형제처럼 지내다시피 했다. 형은 정식으로 결혼은 하지 않았지만 한 여인과 사귀고 있었다. 그녀는 성격이 활발했고, 활동적이었으며, 특히 우리들에게 참 잘해주었다. 그런 형수가 임신했다는 이야기를 들었을 무렵에 사고가 난 것이다. 유복자로 태어난 형이 숨졌는데, 운명의 장난이었을까? 공교롭게 그 형수도 혼인도 하지 않은 채 유복자를 임신한 상태여서 안타까움은 더했다.

그런 상황에서 형이 죽었다는 연락을 받았으니 우리가 받은 충격도 컸다. 형의 죽음은 어머니에 대한 부담과 형수에 대한 부담, 유복자의 유복자(?)에 대한 부담까지 겹쳐서 같이 일하던 우리에게 백배의 부담으로 다가왔다.

결국 동복이 형에게 부조금을 넉넉하게 주고 회사를 정리하기로 했다. 마을금고 추진 건도 접고, 각자 뿔뿔이 흩어졌다. 희수 형은 다시 공직사회로, 선배 김근홍은 재향군인회로, 김정걸 동생은 농협으로 갔다.

나도 다시 단무지 농사를 시작했다. 과거의 경험도 있어서 지금은 수몰된 청풍면과 한수면 일대 충주호 주변의 갯벌 밭 계약재배를 통해 대대적으로 단무지 무 농사를 시작했다. 강가 갯벌에서 지은 단무지는 최상품으로 인정을 받았다. 그 후 단무지 무 재배만으로 수억 원 이상의 돈을 벌었다.

누군가 말했다. 시작과 실패를 계속하라고. 실패할 때마다 무엇인가를

성취할 것이고, 네가 원하는 것을 성취하지 못할지라도 무엇인가 가

치 있는 것을 얻게 되리라고. 또한 성공도 거듭되는 실패와 자

기반성을 통해서만 이룰 수 있는 것이라고. 한다면 시도

했다는 그 자체만으로도 평가받을 수 있는 일이라

생각된다.

속시원하게 살자

하게 살자

2부

"세 가지 물음에 자신 있게 답할 수 있는가?"

충청북도

세 가지 물음에 자신 있게 답할 수 있는가?

아내를 만난 사연

[효자불여악처(孝子不如惡妻)
아무리 효성이 지극한 아들도 사나운 아내보다 못하다]

- 속담 -

서울시 성북구 장위동에 나의 육촌형이 살고 있었다. 그는 육군 하사관으로 시작하여 나중에 준위가 되었다. 어느 날 그가 후방으로 발령을 받아 집을 비우게 되자 들어와 집을 관리하며 직장을 다니던 두 자매가 있었다. 이천 출신의 '정호순', '정필례' 자매였다. 성실하게 살아가는 내 모습을 전부터 보아왔던 육촌형은 내가 말년 휴가를 나온다고 하자 소개해줄 사람이 있으니 집으로 오라고 하는 것이었다. "성실한 사람끼리 만나면 아주 좋은 인연이 될 것"이라고 중매를 선

것이다. 아내를 이렇게 만났다.

처형 정호순은 대사관에 텔렉스 요원으로 있었는데 5개 국어를 구사하는 인재였다. 아내인 정필례는 당시 서울시경 비서실에 근무하고 있었다. 첫 만남에서는 아내에 대한 강렬한 느낌은 없었다.

그래서 농산물 직거래 사업을 시작하면서 가끔 한 번씩 만나는 정도였다. 바쁘게 살고, 직거래 사업에 미쳐 있다 보니 결혼을 해야겠다는 생각도 없었다. 그런데 햇수로 6년간 만나 서로를 잘 아는 사이가 되었을 무렵에 하루는 그녀가 내게 조심스럽게 입을 열었다. "할머니에게 사귀는 사람이 있다고 했더니 한 번 만나고 싶어 하신다"는 것이었다. 어찌 보면 거꾸로 프러포즈를 받은 셈이었다. 그때 왜 그랬는지 몰라도 나는 할머니를 만나겠다는 확답을 해주지 않았다. 그런데 얼마 후 그녀를 다시 만났더니 "할머니가 돌아가셨다"고 하는 것이었다. 그 소리를 듣는 순간 마치 내가 큰 죄를 지은 것처럼 미안한 마음이 들었다. 이를 계기로 나는 그녀와 결혼해야겠다는 생각을 하게 되었다.

아내라는 존재는 가정의 구심점이요, 실체는 가정의 보배라고 했던가! 내 아내는 부잣집 막내딸 출신이다. 처가는 경기도 이천에서 과수원 사업을 크게 하고 있었다. 아내의 가족들 모두 여유롭고 온화해 보였다. 초라한 우리의 시골집 분위기와는 달라도 너무 달랐다. 당시 장모님은 내가 밥 먹는 모습을 보고는 "딸 고생은 시키지 않을 것 같다"며 예비사위에게 후한 점수를 주셨다.

1981년 12월 13일 우리는 충주여성회관에서 결혼식을 올렸다. 결혼식 날 아침에 눈이 살짝 내렸다. 새하얀 웨딩드레스를 예쁘게 차려입은 아내는 자태가 무척 고왔다. 폐백을 마치고 자주색 한복으로 갈아입은 아내와 신혼여행을 떠나기에 앞서 이천으로 출발하는 처가 하객들을 배웅했다. 장인 장모님은 가장 늦게 이천행 버스에 올랐다. 그 모습을 마지막으로 바라보던 아내가 눈물을 주르륵 흘리는 것이었다. 코끝이 찡해지면서 가슴이 짠해졌다. '나 하나만 바라보고 시집온 아내를 꼭 행복하게 해주겠노라'고 마음속으로 다짐했다.

결혼식을 마치고 새로 구상한 사업이 있다. 당시 한창 뜨던 예식장 사업이었다. 충주시 지현동 현 동사무소가 들어선 옛터에 시멘트 블록 공장이 있고, 그 앞으로 하천 건너편에 충주 공용버스 정류장이 있었다. 이 부지에 예식장을 지어서 예식사업을 하기로 하고 터를 계약했다. 사업을 본격적으로 추진하려고 분주하게 이것저것을 알아보는 사이에 해가 바뀌었다.

급작스레 들이닥친 늑막염

[불행에 빠져야 비로소 사람은 자기가 누구인가를 깨닫게 된다]
- S 츠바이크 -

새해인 1월 3일 충주 수안보에서 고등학교 동문 '성지회' 모임이 열렸다. 성지회는 지금까지도 친형제처럼 지내는 친목단체 모임이다. 김문식 현 충일중학교 교장, 최정규 현 주덕중학교 교감, 박태환 현 국원초등학교장 등이 주 멤버들이다. 우리의 결혼을 축하하기 위해 1박 2일 일정으로 모인 자리였다.

그런데 다음날 새벽쯤 되었을 무렵, 심하게 압박해오는 가슴 통증 때문에 도저히 아파서 나는 더 이상 그 자리에 있을 수가 없었다. 친구들에게 양해를 구하고 아내와 택시를 타고 나와 새벽부터 병원 문을 급히 두드렸다. 나를 진찰하던 담당 의사는 "늑막염이다. 조금만 더 늦었어도 큰일 날 뻔 했다"며 주사바늘을 등속으로 주입해 가슴에 찬 물을 뽑아내기 시작했다. 한 바가지 정도 빼고 나니 통증이 사라지고 그제서 숨을 쉴 수 있을 것 같았다.

입원 치료와 함께 아내의 정성스런 간호 덕분에 회복된 몸으로 병원 문을 나설 수 있었다. 아내는 간병을 하느라 무진 고생을 했다. 귀하게 자라온 어린 색시가 시집생활과 함께 병간호까지 한다는 것은 고달픈 일이었다.

아내는 홑몸도 아니었다. 그런 상태에서 연탄불도 갈고, 시동생들까지 돌봤다. 후에 들은 이야기이지만 아내는 당시 입덧이 시작되었는데 아이스크림이 먹고 싶어서 미칠 지경이었다고 했다. 시동생들이 드나드는 바람에 사 먹지도 못하다가 구멍가게에 가서 아이스크림을 혼자 사 먹었는데 그렇게 맛이 좋을 수가 없었다 했다. 훗날 웃으면서 내게 이야기하는 모습을 보고 아내에게 잘못을 많이 했다는 생각이 들었다.

세 가지 물음에 자신 있게 답할 수 있는가?

[무슨 일이든 좋아서 그 일을 하면 그 사람이 바로 프로이다. 진정한 프로가 되는 것, 이것이 삶의 행복과 인생의 성공을 절반 결정한다]

– 유시민 –

병치레를 크게 하는 사이 계약을 하고 설계까지 마쳤던 예식장 사업은 시기를 놓치면서 수포로 돌아갔다. 이 무렵 신후현이라는 분을 만났다. 지역에서 볼트, 너트 사업으로 돈을 크게 번 분이었다. 그에게서 그 사업의 전망이 괜찮다는 이야기를 듣고 평소 친형제처럼 지내던 최순만 형과 셋이서 동업하기로 하고 5월에 서울로 올라갔다.

늑막염의 후유증은 생각보다 오래 갔다. 당시 처가 과수원에는 돌아다니던 뱀들이 많았다. 장모님은 과수원에서 잡은 뱀들을 푹 고아서 통에 담아 식지 않게 수건으로 정성스럽게 싸서 서울까지 손수 들고 오셨다. 사위의 건강을 회복시키겠다는 장모님의 사위사랑이 철철 넘친 결과였을까? 덕분에 나의 건강도 빠르게 회복됐다.

우리는 청계천2가에 '거풍상사'라는 종합무역상사를 차려놓고 자동차 볼트, 너트와 기계부속을 파는 도매상 겸 수출업체를 개업했다. 8천여만 원의 지분을 투자한 나도 신후현 회장, 최순만 사장 밑에서 상무라는 직함을 받아 함께 도매사업을 했다. 그런데 이 사업은 나와 체질상 맞지 않았다.

바람이 쌩쌩 부는 청계천 상가에는 찾아오는 사람들도 별로 없어 일하는 재미를 도통 느끼지 못했다. 사업을 시작한 지 얼마 지나지 않아 '잘못 시작했구나!'라는 후회감이 물밀 듯 밀려왔다. 그러다가 동해로 처음 출장을 가게 됐다. 오징어잡이 배에 전등을 납품하기 위해서였다. 어부들은 오징어 몰이를 위해 바닷가에서 밤을 새워 불을 밝힌다.

당시에는 교통도 불편하고 여건이 열악하다 보니 전등을 파는 서울 도매업자들이 고성에서 울진까지 일주일씩 동해바다를 훑고 다니면서 뱃사람들을 만나서 선주문을 받았다. 그리고 서울에 오면 주문한 물건을 화물로 부치고 3~4일 후 물건이 도착할 즈음에 다시 수금을 하러 바닷가를 갔다. 그렇게 일주일 동안 출장을 다녀왔더니 볼트 판매 사업에 오만 정이 다 떨어졌다.

그 무렵 신혼부부였던 우리는 13평 잠실 시영아파트에 살면서 동업을 하던 신후현 회장, 최순만 대표와 함께 지냈다. 그렇게 6개월 정도를 지내다 도저히 안 되겠다는 생각이 들었다. 직원 5~6명을 두고 운영하는데 전국에 외상을 깔아놓은 상태였고, 수금을 해도 운영경비 등을 따지다 보니 답이 나오지 않았다. 더욱이 볼트, 너트는 무거운 쇳덩어리여서 다루기도 힘들고, 나의 적성에도 맞지 않았다. 나는 회장과 대표가 있는 자리에서 "이러다가는 우리 셋이 다 망하겠다. 나는 다시 충주로 내려가서 단무지 농사를 짓겠다"고 선언했다. 문제는 투자한 자금을 회수하는 것이었다. 나는 8천만 원을 투자했는데 당시로는 만만치 않은 거액이었다. 그렇다고 투자금액 때문에 원하지도 않는 사업에 계속 묶여있을 수는 없었다.

나는 동업자들에게 "투자금액에 대해서는 처분해 주는 대로 받겠다"고 하고 아내에게 동업자들에게 밥을 계속해주도록 부탁하고 혼자서 충주로 내려왔다.

돌이켜 생각해보면 그 당시 내가 사업에 참여한 과정은 참으로 무모했다. 아내와 나는 결혼한 지 채 1년도 되지 않은 신혼 때였다. 그런데도 아내를 다른 남자들과 한 아파트에 살게 한 것이다. 게다가 나중에는 그런 환경에 아내만 남겨두고 새로운 사업을 하겠다고 나 혼자 내려온 것이다. 그때 내린 결정을 돌이켜보면 아내에게 정말로 너무했다는 생각이 들어 지금도 얼굴이 화끈거린다.

안철수 국회의원은 아직도 젊은이들에겐 우상적 존재다. 그는 직업

세 가지 물음에 자신 있게 답할 수 있는가?

을 자주 바꾼 것으로 유명하다. 프로그래머에서 의대교수, 의사로, 다시 사회공헌가에서 CEO로, 경영학 교수에서, 정치인으로 여러 차례 변신했다. 언젠가 그는 언론과 인터뷰하는 자리에서 직업을 바꿀 때마다 '세 가지 조건에 부합되는가'를 먼저 스스로 자문자답해본다고 했다. 첫째, 그것이 의미 있는 일인가? 둘째, 재미와 보람을 느낄 만한 일인가? 셋째, 내가 잘할 수 있는 일인가?

그런 관점에서 볼 때 사람만 믿고 볼트, 너트 사업에 뛰어들었던 나는 이미 해피엔딩이 될 수 없음을 예고하고 있었다. 사업을 할 때에는 신중하고 종합적인 판단을 해야 한다. 나는 동업자의 말만 믿고 모르는 분야를 너무나도 쉽게 뛰어들었다. 첫 번째 '의미 있는 일인가?'에 대한 물음에도 답을 찾을 수 없었다. 두 번째, 볼트, 너트 사업은 내 입장에서 재미와 보람을 느낄 일도 아니었다. 셋째, 내가 잘할 수 있는 일은 더더욱 아니었다.

청계천 2가에는 전국의 내로라하는 장사꾼들이 다 몰려든다. 무서울 정도로 경쟁이 치열한 곳에서 정서에도 맞지 않는 일에 사업성도 충분히 검토해보지 않고 남의 말만 듣고 뛰어든 것이다. 게다가 취미, 적성과 사업계획, 전망도 따져보지 않고 예식장 사업이 어렵게 되자 새로운 탈출구를 찾기 위해서 선택했던 것이다.

더 중요한 것이 있다. 당시에는 자기자본이 30%만 있어도 새로운 사업에 너도 나도 뛰어들었다. 은행융자 70%를 안고 사업을 하겠다고 뛰어드는 것이 당시의 현실이었다. 결국 무모한 도전은 실패로 끝났다.

'의미 있는 일인가? 재미와 보람을 느낄 만한 일인가? 내가 잘할 수 있는 일인가?'

이 세 가지 물음에 자신 있게 답할 수 없다면 용기나 의욕, 자신감만으로 사업을 시작하는 건 무리가 있다는 걸 실패를 통해 교훈을 얻은 것이다.

누군가 말했다. 시작과 실패를 계속하라고. 실패할 때마다 무엇인가를 성취할 것이고, 네가 원하는 것을 성취하지 못할지라도 무엇인가 가치 있는 것을 얻게 되리라고. 또한 성공도 거듭되는 실패와 자기반성을 통해서만 이룰 수 있는 것이라고. 한다면 시도했다는 그 자체만으로도 평가받을 수 있는 일이라 생각된다.

사업은 내가 잘하는 일을 해야 한다

[축구는 내가 살아있는 이유다. 축구가 없으면 나는 없었을 것이다. 다시 초등학교 시절로 돌아가더라도 난 축구를 할 것 같다]

– 박지성 –

충주에 내려오자 내가 잘할 수 있는 단무지 사업을 다시 시작하기로 했다. 서울에서 돈을 회수하지 못했으니 당연히 수중엔 돈이 없었다. 당시 충주농협 조합장 김용욱을 다짜고짜 찾아갔다. 조합장에게 사정을 얘기하고, "단무지 사업을 하면 1년 후에 갚을 수 있으니 돈을 빌려 달라"고 부탁했다. 김 조합장은 내 이야기를 다 듣더니 "젊은 사람의 의욕이 대단해서 도와주고 싶다. 대신 그냥 빌려줄 순 없으니 담보를 제공하라"고 했다. 이웃 형에게 찾아가 땅을 담보로 8백만 원을 대출받아 단무지 사업을 재개했다.

충주시 상모면 문강리 40평 남짓의 밭에 단무지 저장탱크 시설을 갖추고 계약재배에 들어갔다. 농가들에게 무 씨앗을 나눠주고 다 자라면 수확한 다음 절여서 저장했다가 이듬해 성수기인 소풍 철에 서울 도매업자들에게 납품하는 식이었다.

당시 식품산업 초창기 시절이어서 단무지 시세는 고가에 형성되고 있었다. 단무지 사업은 돈이 되는 사업이었다. 반면에 고생은 말로 표현할 수 없을 정도였다. 단무지 재료인 무도 최적기를 놓치지 않으려면 밤을 새워서 신속하게 사들여야 한다. 매입 시기는 11월과 12월 추위가 시작될 무렵이 최적기다. 절임 작업도 무가 얼지 않도록 단시간 내에 40~50명의 사람을 동원하여 밤을 새워서 작업을 마쳐야 한다. 이렇게 20일 정도는 제대로 자지 못하고 밤낮으로 일해야 했다.

하루는 청풍면 물태리에 갔다가 어둑어둑할 무렵 12인승 봉고차에 인부들을 가득 태우고 돌아오는데 살미면 내사리에서 그만 깜빡 졸았다. 눈을 떴는데 커브 길에 마주 오는 차가 보였다. 순간적으로 핸들을 오른쪽으로 꺾어 돌렸고, 차량은 논두렁으로 곤두박질쳤다. 차량은 엉망진창이 되었지만 크게 다친 사람은 없었다. 서너 명이 찰과상을 입은 정도였다.

단무지 사업은 단기간에 엄청난 노동력을 동원해 집중적으로 일을 진행해야 한다. 단무지는 시들면 가치가 떨어진다. 싱싱한 상태에서 무를 사들여야 하고, 또 사들인 무를 밤을 새워서 소금에 절여야 한다. 절임이 마무리되면 3~4개월 정도 지나 판매를 시작한다. 당시 탱크에는 단무지 12톤 정도를 절여놓았다가 팔았다. 많은 농민들은 나와 계약재배를 한 경험들이 있었다. 나를 믿고 협조해준 덕분에 그해 농협에서 빌린 돈도 갚고, 사업 첫해에 목돈도 쥘 수 있었다. 이렇게 초인적으로 일을 하면서도 무탈하게 넘어간 것은 이 일이 내 적성에 잘 맞았기 때문이었다.

내 인생 최대의 위기

[행복과 불행은 크기가 정해져 있는 것은 아니다. 다만 그것을 받아
들이는 사람의 마음에 따라서 작은 것도 커지고 큰 것도 작아질 수 있
다. 가장 현명한 사람은 큰 불행도 작게 처리해 버린다. 어리석은 사람
은 조그마한 불행을 현미경으로 확대해서 스스로 큰 고민 속에 빠진
다]

- 라 로슈프코 -

충주시 가금면 입석리에 유진농산이라는 식품공장이 있다. 식품공장
은 상공부가 농공단지를 지정하고 해당 지역 업체를 육성하기 위해 설
립됐다. 하루는 유진농산 김재문 대표가 나를 만나자 했다. 그는 고
춧가루 제품을 생산하고 있었다. 그런데 생산품목을 넓혀 절임 김치
외에 단무지를 제품화시킬 필요성을 느끼고, 내게 동업을 제의해 온
것이다. 고춧가루와 김치뿐 아니라 절임 식품까지 같이 생산하면 마케
팅은 물론 매출 신장에 시너지 효과가 날 수 있다. 이에 직접 재배하고
가공한 단무지를 현물로 출자하고, 주식을 배정받는 조건으로 유진농
산의 상무 직함을 받아 합류했다.

당시 충주는 고추도 많이 생산되었지만 단무지 농사가 특히 잘 됐
다. 게다가 '닭표 간장'으로 유명한 서울의 삼왕종합식품과 계약을
맺고 OEM 방식으로 여러 가지 식품들을 판매하는 사업을 시작했으니

세 가지 물음에 자신 있게 답할 수 있는가?

성과가 좋을 수밖에 없었다.

유진농산은 단무지에서부터 깻잎, 풋고추, 무말랭이, 오이지, 참외, 고춧가루 등 절임 식품 일체를 생산하고 서울의 삼왕종합식품은 전국 규모의 판매망을 이용하여 마케팅에 나섰다. 당시에 '닭이 운다 꼬끼오' 상품은 주부들 사이에서 인기가 좋아 청량리 시장을 비롯해서 영등포, 문래동, 잠실 시장에서 서로 물건을 받으려고 난리였다. 그만큼 인기가 좋았다.

서울에 올라갈 때마다 만삭이 된 아내는 내게 맛있는 밥을 해주었다. 그 사이 둘째 동석이가 태어났다. 직원도 100명으로 늘어났다. 덕분에 나는 5~6년 만에 총 책임자 역할을 맡아 서울에서 근무하게 되었다. 마포구 상수동에 100평이 넘는 창고 겸 큰 사무실을 얻어 직원 5~6명을 데리고 절임 식품 사업을 시작했다. 절임 사업은 초창기라 영업이 잘 됐다. 상품이 좋아서 물건도 잘 팔려나갔다.

그런데 세상사 호사다마(好事-多魔)라고 했던가? 좋은 일에는 방해가 많이 따른다더니 주 거래처인 삼왕종합식품이 사업을 무리하게 확장하다가 부도가 났다. 그 바람에 내가 소속해 있던 유진농산도 자동으로 연쇄부도가 났다.

당시에는 사업 확장의 방편으로 OEM 방식을 선호했다. 대기업과의 거래도 현찰이 아닌 어음거래 방식으로 진행되고 있었다. 따라서 갑과 을의 관계에서 연쇄부도는 피할 방법이 없었다. 부도가 나자 사장은 종적을 감췄다. 결국 상무인 나 혼자서 뒤처리를 해야 했다. 내 인생 최대의 위기와 시련이 몰려오고 있었다.

잊을 수 없는 고마운 두 분

[남을 도울 때 가장 덕을 보는 것은 자기 자신이고, 최고의 행복을 얻는 것도 자기 자신이다. 그러므로 행복한 삶으로 가는 최선의 길은 남을 돕는 것이다. 이것이 진정한 지혜다]

– 달라이 라마 –

승승장구하던 유진농산은 주 거래처의 부도로 인해 순식간에 엉망진창이 되어버렸다. 매일같이 찾아오는 채권자들에 의해 공장은 가동이 중단됐다. 수십여 명의 거래처 직원들은 인건비, 물품대금 등을 받으려고 야단법석을 피웠다. 하루에도 수차례씩 채권자들이 몰려와 기물을 부수고 마당에 드러누웠다. 사장이 잠적한 이후의 공장 상황은 참담 그 자체였다. 이 시점에 내가 우선적으로 해야 할 일은 직원들과 회사와 연관된 농가 주민들의 피해를 최소화시키는 것이었다.

유진농산을 정리하는 과정에서 잊을 수 없는 소중한 두 분을 만났다. 한 분은 현재 임페리얼레이크 골프장 창업자이신 최재용 회장이다. 개인적으로는 친구의 아버님이신 최 회장은 충주에서 왕성한 사업 활동을 하고 있었다.

또 한 분은 친구인 강태명 경리부장과 함께 사태를 해결하려고 동분서주하다가 만난 한국자동차보험 충주지점 홍진방 지점장이다. 평소 유진농산에 대해서 관심이 많았던 그는 회사문제를 상담할 때마다 조언을 해주던 분이었다. 나는 홍 지점장에게 회사가 처한 상황을 자세히 설명하고 그동안 같이 일해 온 농가들과 회사직원들 문제를 어떻게 처리해야 할지에 대해 조언을 요청했다. 홍 지점장은 내 이야기를 다 듣고는 한참을 고심하다가 지금의 회사를 좋은 조건으로 정리할 수 있도록 도와주겠다고 약속하셨다. 그리고는 평소 잘 알고 지내던 최재용 회장과의 면담을 주선해주었다.

최재용 회장은 "지역주민의 피해를 최소화시키고 싶어 하는 우리의 취지와 사태수습에 임하는 입장을 충분히 공감한다"면서 회사를 인수하겠다고 약속했다. 이후 최 회장은 실사를 거쳐 당시로는 상당히 후한 가격에 부도난 유진농산을 사들였다.

우리로서는 인수 금액이 아주 만족스럽지는 않았지만 직원들의 급여는 물론 각종 채무도 다소 해결해주는 조건이었다. 최 회장은 그 후 사업에 어려움을 겪기도 했지만, 최 회장의 아들 최동호 대표가 인수하면서 정상을 되찾았다. 나는 그곳을 지날 때마다 고마운 생각과 함께 힘들었던 지난날들이 떠오른다.

부도난 지역 업체를 적극 도와주려는 최재용 회장의 기업가 정신과 결단이 없었더라면 유진농산의 부도는 충주지역 사회에 큰 파문으로 비화될 엄청난 사건이었다. 그리고 유진농산의 수습을 내일처럼 도와준 홍진방 지점장과는 지금도 형제 이상으로 가깝게 지내고 있다.

홍진방 지점장의 주선과 최재용 회장의 결단 덕분에 지역 농가들과 직원들의 피해를 막을 수 있었다. 이후 유진농산은 김치도 생산하고 절임 식품도 만들면서 잘 운영되고 있다. 나는 지역 농가들과 직원들에게는 손해가 없도록 인수인계를 해주고 깨끗하게 물러났지만, 개인적으로는 빚더미를 안고 실업자로 전락하는 최악의 상황을 맞았다.

가장으로서 가장 부끄러웠던 순간

[만일 사람이 젊었을 때 어리석은 행동으로 창피를 경험하지 않으면
나이가 들어서도 여전히 똑같은 바보짓을 하고 다니게 된다]

— 14세기 영국시인, 쵸서 —

유진농산을 정리한 이후 한동안 나는 몸과 마음을 둘 곳이 없었다.
그렇게 힘든 시간을 보내던 어느 날 이훈 선배가 집을 두 채 짓고 있다
는 소식을 듣고, 찾아가 막노동 일을 하게 됐다. 유진농산은 정리가
잘 되었어도 개인 부채는 고스란히 남아 있었기 때문에 집안의 가전제
품에는 온통 빨간 압류딱지가 붙어 있었다.

큰딸이 초등학교에 막 입학했을 때의 일로 기억된다. 사업 실패로
모든 것을 잃은 나는 그날도 막노동 일을 마치고 퇴근했다. 6시가 조
금 넘어섰을 무렵이었다. 연립주택 집 입구로 들어오는데 마당에서 아
이들이 모여 장난을 하고 있었다.

"엄마 어디에 있니?"

"뒤쪽에 있어요."

당시 우리는 3층 연립주택에 살고 있었다. 연립주택은 쓰레기통이 3
층에서 1층으로 연결되어 있는 구조였다. 쓰레기를 3층에서 버리면 1층
쓰레기장까지 '쿵' 소리와 함께 내려오는 아주 낡은 시스템이었다. 쓰
레기 수거도 사람이 수레를 이용해서 일일이 퍼 나를 때였다.

아이들 말을 듣고 인기척이 나는 곳으로 갔더니 아내가 악취가 진동
하는 컴컴한 쓰레기통 안에서 무언가를 찾고 있었다.

"거기서 뭘 해?"

세 가지 물음에 자신 있게 답할 수 있는가?

"수박, 참외, 복숭아씨를 찾고 있어요."

초등학교 1학년인 혜영이의 여름방학 숙제를 하려면 과일 씨앗을 종이에 붙여서 제출해야 한다는 것이었다. 아내는 수박을 살 돈이 없자 쓰레기통에서 수박씨와 복숭아씨를 찾고 있었던 것이다. 그 순간 가장으로서 너무나 부끄러워 아무 말도 할 수 없었다. 아내는 그런 내 모습이 되레 안쓰러웠던지 오히려 나를 위로했다.

"열심히 살다 보면 우리도 다시 잘 살 날이 오겠죠."

그 소리를 들으니 더욱 미안한 생각이 들었다. 한번은 장모님이 5천 원짜리 과자종합선물세트를 사들고 찾아왔다. 장모님이 집을 나서자마자 아이들은 과자가 먹고 싶어 뜯으려고 했다. 그러나 아내는 그걸 먹지 못하게 막더니 선물세트를 사온 가게에 도로 가져가서 현찰로 다시 바꿔오는 것이었다. 아내는 내가 돈을 제대로 벌어다 주지 못하자 장모님이 조금씩 갖다 준 돈으로 살림을 하는 것 같았다.

"내가 아내에게 정말 못할 짓을 하고 있구나!"

아내는 그런 상황에서도 내가 자기 전에는 먼저 잠을 자지 않았고, 내가 일어나기 전에 먼저 일어나서 화장까지 끝내는 철저함을 보여주었다. 아이를 둘 낳을 때까지 아내는 가정에서 늘 그렇게 원칙을 갖고 분명하게 행동했다.

그 사건이 있었던 이후 두 달여가 지났을까! 하루는 집에 들어갔더니 아내가 "딸이 상장을 타왔다"면서 자랑을 하는 것이었다. 알고 봤더니 그때 쓰레기장에서 씨앗을 주워서 붙인 방학숙제가 최고상을 받은 것이었다. 그 말을 들으니 당시의 기억이 떠올라 또 한 번 내 가슴이 저며 왔다.

아이들 공부를 멈출 순 없다

[가지고 있는 어떤 재주든 사용하라. 노래를 가장 잘하는 새들만 지 저귀면 숲은 너무도 적막할 것이다]

- 헨리 반 다이크 -

하루는 충일중학교 졸업반이던 아들 동석이가 내게 와서 이렇게 말 했다.

"아빠 나 미국에 가서 공부할래!"

그 소리를 듣는 순간 참으로 난감하기 짝이 없었다. 당시 우리의 가 정 경제는 최악의 상황이었다. 유학은 도저히 꿈꿀 수 있는 처지가 아 니었다. 집에 있는 TV와 냉장고 등 모든 가전제품과 가구에는 압류딱 지가 붙어 있었다. 그렇다고 아버지 입장에서 유학을 가겠다는 아들에 게 가지 말라는 소리를 차마 할 순 없었다.

"갈 수 있으면 가야지!"

막연하면서도 무책임한 이 말밖에 할 말이 없었다. 당시 가난한 사 람들에게는 미국 비자를 발급받기란 하늘의 별 따기만큼 어려웠다. 최 소한 통장에 5천만 원의 잔고가 있어야 비자를 발급해주던 시절이었 다. 우리 집안 사정을 고려하면 당연히 비자가 발급되지 않으리라고 생각하고 있었다. 용렬한 생각이었지만 비자가 나오지 않아도 내 입장 에서는 아버지로서 할 도리는 다했다고 변명할 참이었다.

그런데 동석이는 곧바로 누나와 함께 청주에 있는 모 유학원에 가 알아보더니 유학원의 주선을 받아 미국에 갈 채비에 본격적으로 나섰

세 가지 물음에 자신 있게 답할 수 있는가?

다. 이런 아들의 행동을 지켜보면서 이 상황을 어떻게 받아들여야 할지 무척 고민이 되었다. 놀랍게도 아들의 비자 신청은 일사천리로 진행되더니 2월에 신청한 비자가 3주 만에 나와 미국으로 떠나기로 결정이 났다.

미국은 학기가 9월에 시작하는데 그보다 몇 달 앞선 2월에 가기로 한 것이다. 아직 6개월이 남았지만 미국 현지에서 어학학교(Language School)를 다니고 9월에 고등학교 과정에 입학하기로 한 모양이었다.

이때부터 나의 고민이 시작됐다. 아내는 "아무리 어려워도 아이들 공부는 멈추게 할 순 없다"는 확고한 신념을 갖고 있었다. 어려운 형편에도 아이들 교육에 대한 아내의 열정은 식지 않고 있었다. 며칠 밤을 고민하다가 죽이 되든 밥이 되든 아들 뜻대로 유학을 보내주기로 결정을 내렸다.

드디어 출국 날이 밝았다. 열여섯 살 동석이는 아무 연고도 없는 미국 땅으로 가겠다며 여행가방 하나를 달랑 들고 집을 나섰다. 김포공항에 도착해 아들이 출입국 심사대를 빠져나가자 비로소 유학을 간다는 게 현실로 느껴졌다. 동석이를 보내고 충주로 내려오는 동안 아내와 나는 마치 아들과 영원히 헤어질 것 같은 생각에 서로 부둥켜안고 말없이 울기만 했다.

그리고 두 달여가 조금 흘렀을 무렵, 5월 1일 새벽 난데없이 전화벨이 울렸다.

"아빠 홈스테이 아저씨가 나를 납치해서 어디론가 끌고 가려고 해요!"

잠이 덜 깬 상태에서 수화기를 들었는데 아들 동석이가 "간신히 맨발로 도망쳐 나와 공중전화에서 전화를 건다"며 울부짖는 소리가 들렸다.

"동석아! 침착하게 천천히 자초지종을 이야기해봐라!"

"홈스테이 아저씨가 공장 으슥한 곳으로 데려가 저를 팔아먹으려고 하는 것 같아 도망쳤어요. 제가 지금 당장 갈 데가 없어요."

동석이 말로는 주일 아침에 한인 교회로 예배를 드리려고 집을 막 나서는 길이었는데 홈스테이 아주머니와 이혼한 남편이 집에 들어와서 갑자기 손목을 잡더니 어디론가 가자고 윽박을 질러대는 바람에 순간적으로 겁이 나서 도망쳤다는 것이었다. 영어도 제대로 하지 못하는 아들 입장에서는 당연한 행동이라는 생각이 들었다.

"거기서 학교까지 거리가 얼마나 되니?"

"걸어서 2시간 정도 걸려요"

"그럼 일단 학교에 가서 선생님을 만나서 같은 학교에 다니는 다른 한국인 학생 집에 전화를 해달라고 해라. 그 집에 도착해서 전화를 주면 아빠가 곧바로 미국으로 출발할게."

수화기를 내려놓은 순간부터 나는 온몸이 타들어 가는 것 같았다. 오전 10시쯤 되었을까? 아들로부터 다시 전화가 왔다. 다행히 아들은 함께 학교에 다니던 태국 유학생의 도움을 받아서 소중한 사람을 만났다고 했다. 미국인 폴이라고 했다. 사흘 후 나는 새벽 비행기를 타고 급히 미국으로 떠났다. LA 공항에 내렸더니 미국인 폴이 아들과 함께 마중을 나왔다.

아들은 나를 만나자 아무런 말도 없이 하염없이 울기만 했다. 마치 눈물샘이 터진 것 같았다. 얼마나 시간이 흘렀을까! 그 모습을 보고 있으려니 얼른 데리고 귀국해야겠다는 생각이 앞섰다. 3개월 사이에 미국에서 만난 아들은 몹시 초췌해진 모습이었다. 피곤한 기색이 역력

했다.

"뭐 먹고 싶니?"

"자장면이 먹고 싶어요."

아들을 데리고 우선 중국식당으로 갔다. 세 그릇을 시켰는데 혼자 게 눈 감추듯 두 그릇을 순식간에 먹어치우는 것이 아닌가. 그 모습을 보니 마음이 아파 면이 목에 넘어가지 않았다.

"아빠 왜 안 드셔요?"

"속이 안 좋아서 그런다."

그 말이 떨어지기 무섭게 아이는 비닐 주머니를 얻어오더니 '배가 고플 때 먹겠다'면서 내가 먹다 남은 자장면을 포장하는 것이었다. 이곳에 아들을 두었다가는 큰일이 날 것 같았다. 폴의 집으로 가서 이런저런 이야기를 나누다 아들에게 "한국으로 다시 돌아가자"고 설득했다. 그러나 동석이의 생각은 확고부동했다.

"저는 여기에 계속 남아 공부할래요. 공부를 마치기 전까지는 돌아가지 않을 거예요."

폴의 집에서 하룻밤을 묵은 뒤에 다음날 동석이가 머물렀던 홈스테이 집을 찾아갔다. 그 집도 동석이가 없어졌다고 난리가 난 것 같았다. 미국에서는 홈스테이를 하게 되면 홈스테이를 맡은 가정에서 학생들의 신변을 일정 부분 책임지게 되어 있다. 단단히 벼르고 찾아갔는데 잘생긴 미국인과 뚱뚱한 멕시코 부인, 그리고 동석이 또래의 아이가 우리를 반갑게 맞아주었다.

나는 자초지종을 들어보았다. 가구 공장에 다니는 주인은 자기 직장인 공장으로 데려가서 견학시켜 주려고 했던 것인데 으슥한 공장으로 가니까 동석이가 도망치는 바람에 난감했다고 말하는 것이었다.

화근이 된 원인을 종합해보니 동석이가 간 지 얼마 되지 않아 서로 의사소통이 잘 이루어지지 않은 점, 두 번째는 동석이가 떠날 무렵 한국에는 납치, 인신매매 사건이 횡행하던 때여서 당시의 상황을 그렇게 해석하고 행동하는 바람에 벌어진 해프닝이었다는 사실을 알게 되었다. 미국인 부부와 오해를 풀고, 충분히 의견을 나눈 다음 동석이의 바람대로 미국에 머무르게 했다. 그렇게 나만 다시 한국으로 돌아왔다.

반기문 총장과의 인연

[어리석은 사람은 인연을 만나도 몰라보고, 보통사람은 인연인 줄 알면서도 놓치고, 현명한 사람은 옷깃만 스쳐도 인연을 살려낸다]

- 피천득 -

옷깃만 스쳐도 인연이라는 말이 있다. 법정 스님은 인연에 대해 진정한 인연이라면 최선을 다해서 좋은 인연을 맺도록 노력하고, 스쳐 가는 인연이라면 무심코 지나쳐 버려야 한다고 했다.

나는 인연을 소중히 여긴다. 유진농산에 상무로 일하다가 회사가 부도가 나자 수습을 하는 과정에서 홍진방 전 한국자동차보험 충주지점장을 만나게 되었다. 홍 지점장은 나를 아주 아껴주는 의리 있는 분이었다. 그는 남의 이야기를 잘 들어주는 스타일이다. 사업하면서 어려움을 겪을 때마다 나는 홍 지점장과 많은 대화를 나누곤 했다.

홍지점장은 위기에 처한 유진농산을 최재용 회장에게 넘기는 과정에서 중간 역할을 잘해 주셨다. 덕분에 나는 홍 지점장과 많은 이야기를 나누게 되었고, 그 과정에서 홍 지점장이 반기문 총장과 충주고 동창이라는 사실도 알게 되었다.

반기문 총장은 2001년 한승수 유엔총회의장의 비서실장을 맡고 있었다. 미국으로 간 지 6개월째 접어든 아들 동석은 방학이 되어도 국내로 들어올 생각을 하지 않았다.

홍 지점장과 이런저런 이야기를 나누다가 "반기문 비서실 실장에게 보내서 제 아들 정신교육을 해달라고 하면 어떨까요?"라고 넌지시 의견을 물어봤다. 홍 지점장도 반기문은 아이들을 좋아하니 반가워할 거라고 했다.

그 말에 용기를 얻어 반 총장에게 장문의 편지를 썼다. 충주고 동문회 사무국장을 맡은 후배라고 소개하고, 아들이 충일중학교를 마치고 미국에 가겠다고 해서 현재 LA에 머물고 있다는 사실과 함께 지난번에 벌어진 일들을 넋두리하면서 미국에 혈혈단신으로 가서 공부하고 있는 제 아들을 격려해주셨으면 좋겠다는 바람을 편지에 담아 보냈다. 놀랍게도 편지를 받은 반 총장께서 내게 바로 전화를 하셨다. 아이를 보내라는 것이었다. 즉시 동석이에게 전화했다. 아들은 내 말을 듣고 운동복 바람으로 LA에서 4시간 동안 비행기를 타고 뉴욕으로 찾아갔다. 반 총장은 비행기 도착 시각에 맞춰 공항으로 마중을 보내서 동석이를 집으로 데려갔다.

나중에 아들에게 들어보니 당시 반 총장은 방 2칸짜리 아파트 42층에 살았는데 방 하나는 내외분이 쓰고, 또 다른 방 하나는 딸이 사용하고 있었다. 반 총장은 동석이를 위해 거실에 간이침대를 사다 놓고 거기서 밥을 해먹이면서 시간이 날 때마다 직접 뉴욕 시내를 구경시켜 주었다. 또 주말이면 뉴욕대학교, 컬럼비아대학교 및 뉴욕시내 미술관 곳곳도 소개해주면서 "엄마 아버지가 고생하니까 너는 훌륭한 사람이 되어야 한다"고 격려를 해주셨다. 특히 뉴욕대학교를 방문했을 때에는 나중에 이곳 명문학교에 입학해서 공부하면 좋을 거라며 동기부여를 만들어 주셨다.

뉴욕대학교는 지금도 미국의 사립대학교 중에서 가장 좋은 대학교 중의 하나로 꼽는다. 아들은 이때부터 뉴욕대학교에 입학하겠다는 꿈을 갖게 되었다. 아들 동석과 뉴욕에서 일주일 동안 시간을 함께 해준 반 총장은 그때 찍은 사진을 앨범으로 만들고 손수 자필 편지까지 써서 동석이에게 보내주셨다.

이런 이야기를 들으니 고마워서 어떻게 보답해야 할지 몸 둘 바를 몰랐다. 그렇다고 한국에 사는 내가 반 총장을 위해 할 수 있는 일도 없었다. 그 후 아들 동석이는 LA 근교에 있는 스톤릿지고등학교와 산타바바라대학을 졸업했다. 이후 반기문 총장의 영향을 받아 아들은 뉴욕대학교 국제정치대학원으로 진학해 마침내 꿈을 이뤘다.

나는 동석이 문제로 반기문 유엔총회의장 비서실장과 소중한 첫 인연을 맺었다. 처음에는 아들을 만나러 미국에 갔다가 반기문 비서실장을 만났다. 반 총장이 외교부 장관이 되어 귀국한 뒤에는 외교부 장관 공관에도 놀러 갔다. 이밖에도 충주고 동문회 모임 등 공식모임에서 만나면서 반 총장과 소중한 인연을 이어오고 있다.

유엔사무총장이 된 이후 뉴욕에 갈 때마다 연락을 드리면 반 총장은 꼭 시간을 내서 아이들과 함께 만났다. 아이들 둘이 뉴욕에서 유학하는 동안 저녁도 자주 먹고 공관도 자주 드나들면서 더욱 친해졌다.

한 번은 아들 동석이가 유엔본부에서 인턴으로 일하고 있는데 반 총장이 바로 옆으로 지나갔다. 경호원이 밀착경호를 해서 접근이 어려운 상황이었다. 동석이가 반 총장 내외를 발견하고 "사모님!" 하고 부르자 그제야 동석이를 발견한 반 총장이 "여기 어쩐 일이니?" 하면서 반가워하셨다. 반 총장도 한국에 들어오면 내게 연락을 주셔서 점심이나 저녁을 함께했다.

반기문 총장이 충북에 오실 때마다, 그리고 내가 뉴욕에 갈 때마다 연락을 드리면 한 번도 마다하지 않고 만남의 기회를 주셨다. 사모님 역시 늘 반갑게 맞아주시면서 애들을 격려해주셨다.

중부매일신문 충주 주재기자가 되다

[말로 하는 사랑은 쉽게 외면할 수 있으나 행동으로 보여주는 사랑은 저항할 수가 없다]

– 작자 미상 –

길가에 피어있는 들꽃도 그냥 피었다 지는 것이 아닐진대 사람과 사람의 만남에 어찌 우연(偶然)이 있을 수 있을까? 세상은 혼자 살아가는 것이 아니다. 인연(因緣)과 인연이 만나 더불어 살아가는 것이다. 그래서 만남은 소중하다.

나는 사업에 실패하고 막노동을 하는 등 인생에서 가장 힘든 시기에 많은 동문을 만나면서 더불어 살아가는 법을 배웠다. 충주고 동문회에 관여하다가 홍진방 한국자동차보험 충주지점장을 만나고, 미국에 홀로 가 있는 내 아들을 걱정하다가 지점장 친구인 반기문 총장과 인연을 맺게 되었다. 또 평소 존경하던 김연권 총동문회장과도 인연을 맺었다. 동문회장과 충주상공회의소 회장을 맡고 있는 김 회장으로부터 어느 날 중부매일이 창간된다는 소식을 들었다.

중부매일신문 주주로 참여한 김 회장은 중부매일신문에서 충주 주재기자를 모집한다는 이야기를 듣고 나를 적극적으로 추천했다. 각별하게 생각해주는 김 회장이 너무나 고마웠다. 기자는 내가 꼭 한번 해보고 싶은 직업이었다.

김 회장은 나를 데리고 당시 중부매일신문 창간을 진두지휘하고 있는 故 이상훈 회장을 찾아가 충주 주재기자로 추천해주셨다. 기존에 있던 충청일보가 석간신문이었다면 1989년 10월 설립된 중부매일신문은 도내 최초의 조간지로 출발했다. 당시엔 사람들이 석간보다 조간을 선호했다.

중부매일 기자로 입사한 후에는 본사로 발령을 받아 선배들로부터 혹독한 기사 쓰기 집중교육을 받았다. 교열과 편집 등 기사작성법에서부터 내가 쓴 기사가 어떤 과정을 거쳐 활자화되어 나오는지 전반적인 과정을 하나하나 익혔다.

이 기간 동안 언론의 사명과 기자의 역할에 대해 많은 것을 느낄 수 있었다. 수습 기간이 끝나자 바로 충주 주재기자로 발령을 받았다. 본사에서는 수습기자로 출발했지만 지역에서는 내가 나이가 있고, 인생 선배이다 보니 기자 선배들도 사석에서는 나를 형이라 부르며 기사작성법과 취재기법 등 많은 것들을 가르쳐주었다.

주재기자로 활동하는 동안 나는 지면을 통해서 충주 시민들에게 문화 마인드를 많이 심어주고 싶었다. 문화는 인간의 삶의 질을 풍성하게 한다. 충주는 특히 역사와 테마가 풍부한 고장이어서 문화를 중시하는 고장으로 가꿀 필요가 있다.

세 가지 물음에 자신 있게 답할 수 있는가?

충북에는 청주, 충주, 제천 등 3개 시가 있다. 도청소재지인 청주에서는 신문사 주최 등의 문화행사에 유명연예인들을 초빙해서 공연을 자주 즐긴다. 그러나 충주는 그런 행사가 거의 없어서 문화적인 면에서 홀대받는 느낌이었다. 나는 주재기자로 활동하면서 충주에 수준 높은 공연을 유치하기 위해 최선을 다했다.

그 결과 충주지역에서 최초로 이미자 쇼를 진행했고, 국립극단 발레단 초청공연을 하는 등 적극적으로 문화예술행사를 유치해 지역 시민들은 물론 회사에서도 인정을 받는 계기가 되었다.

지역 시민의 화합행사로 자리매김한 충주 남산산행

[산행의 본질은 정상을 오르는 데 있는 것이 아니라 고난과 싸우고 그것을 극복하는 데 있다]

- 앨버트 머메리 -

충주 남산산행은 중부 이남 지역의 자연보호운동을 겸하여 충주 시민건강 및 화합에 큰 이정표를 남긴 대표적인 지역 산행 행사다. 충주 남산산행은 충주시와 중원군이 전국 최초로 통합을 결정하게 되었을 때 이를 기념하기 위해 중부매일 충주지사 주최로 시작했다. 충주 시민과 중원 군민의 화합을 다지기 위해서였다.

2015년 현재 올해로 21회째 진행된 충주 남산산행에는 해마다 수천 명의 시민들이 참여해 현재까지 누적 참여 시민이 수십만에 이를 정도로 연륜이 쌓였다.

올해도 '제21회 충주 시민 한마음 남산산행'이 4월 마지막 주말인 25일 충주 남산 일원에서 1천여 명의 시민들이 참가한 가운데 열렸다. 가족, 연인, 동료들과 함께 삼삼오오 짝을 지어 참가한 시민들은 봄꽃과 신록이 어우러져 봄기운이 완연한 충주산성과 마즈막재에 이르는 남산 등산로 코스를 따라 산행했다.

참가자들은 모처럼 바쁜 일상에서 벗어나 화창한 날씨 속에 산행하면서 심신의 피로를 풀고, 김밥과 도시락 등 간단한 식사를 하면서 대화를 나누고 화합과 친목을 다졌다.

산행에 앞서 남산등산로 입구 주차장에서는 조길형 충주시장과 이종배 국회의원을 비롯한 기관·단체장과 시민들이 참석한 가운데 간단한 기념식이 열렸다. 산행에 참가한 시민들에게 기념품으로 고급 스포츠 양말을 제공하고 빵과 우유, 생수, 바나나 등 각종 간식을 지급했다.

또 하산 장소인 마즈막재 체육공원에서는 주병선 씨의 사회로 여흥 시간을 갖고 가전제품과 자전거, 지역특산품 등 푸짐한 경품을 제공했다. 특히 이번 산행에는 91세의 홍용표 할아버지가 참가해 노익장을 과시해 눈길을 끌기도 했다.

해마다 싱그러운 햇살이 비추는 5월 초가 되면 남산은 푸른 옷으로 갈아입고 충주 시민들의 방문을 기다린다. 충주 남산은 충주시 동남편에 있는 해발 663m의 산으로 마즈막재를 사이에 두고 북쪽의 계명산과 마주 보고 있다. 남산 정상에 오르면 충주 시민들은 소원과 희망을 가득 담아 새로운 다짐을 하고, 희망도 설계한다.

충주 남산산행은 시민들의 큰 사랑을 받는 행사로 자리매김했으며, 내가 언론사를 떠난 이후에도 후배 기자들에 의해 해마다 더욱 새로운 프로그램으로 시민들을 맞이하고 있다.

도내 최초의 충주사과 마라톤대회

[성공은 높은 점프도 긴 점프도 아니다. 성공은 마라톤의 발걸음들이다]

- 영국의 정치가, 올리버 크롬웰 -

뜨거운 여름날 오후였다. 사무실에 앉아있는데 한 어르신이 중부매일 충주지사 사무실을 노크했다.

"여기 이언구 기자가 누굽니까?"

"접니다."

나의 대답에 그는 성큼 내 앞으로 다가오더니 찾아온 용건을 밝혔다. 신니면에 산다는 이종현(73세) 어르신이었다.

"나는 춘천 조선일보 마라톤대회를 열 번 이상을 참석했습니다. 호반의 도시 춘천에서 마라톤대회가 열리면 전국에서 마라토너가 2~3만 명이 몰려듭니다. 춘천에서는 마라톤이 지역의 명물 행사가 되어 지역 경제에도 도움을 주고 있습니다. 충주시도 조건은 비슷합니다. 그래서 수차례 충주시 관계자들을 방문해서 설명했는데 이해를 못 합니다. 그런데 누가 이언구를 만나서 상의를 하면 대화가 될 것이라는 말을 듣고 당신을 찾아온 것입니다."

그는 "충주호를 중심으로 충주호 마라톤대회를 개최하면 지역 홍보는 물론 지역 경기 활성화 차원에서도 큰 보탬이 될 것"이라고 했다.

그런데 충주시청 공직자는 물론 충주지역에 이름이 있는 여러 사람에게 이런 제안을 했는데도 누구 하나 제대로 귀 기울여주는 사람이 없었다고 하소연하는 것이었다.

춘천에서는 마라톤대회가 열릴 때마다 해마다 2만 명의 마라톤 선수들이 하루 전에 와서 자는데 한 사람당 보통 두세 명이 따라붙는다. 그러면 4~5만 명이 대회 전날 춘천에 와서 자는데 경제효과가 얼마나 크겠느냐면서 충주 마라톤대회 개최의 필요성을 역설했다.

마라톤대회에 대해 백지상태였던 나는 당시 영업을 총괄하던 이영규(현 충북도지사 보좌관) 부장에게 춘천에 가서 현장답사를 하고 오라고 했다. 현지를 다녀온 이영규 부장은 1박 2일로 열리는 춘천 마라톤대회를 벤치마킹한 결과 "적극적으로 추진할 필요가 있다"고 결론을 내렸고 우리도 가칭 '충주사과 마라톤대회'를 열기로 의견을 모았다.

충주시장을 찾아가 충주사과 마라톤대회의 필요성을 역설했으나 긍정적인 반응을 보이지 않았다. 예산을 확보하는 게 시급하다는 생각에 당시 충청북도생활체육협의회장을 맡고 있던 권영관 충북도의회의장을 찾아가 사업취지를 설명하고 충청북도생활체육협의회에 마라톤대회 예산 지원을 요청한 결과 1천만 원을 지원해주었다. 이를 종잣돈으로 이영규 부장과 피 눈물 나는 고생을 한 끝에 마침내 '제1회 중부매일 주최 충주사과 마라톤대회'를 개최할 수 있었다. 충주사과 마라톤대회는 전국의 마라톤 동호인들에게 상품이 푸짐한 대회로도 널리 알려져 있다.

제16회 행사가 열린 2014년 충주사과 마라톤대회에는 충주시와 자매결연한 일본 유가와라정 스포츠 교류단 민간인 선수 12명과 의원 3명, 공무원 3명이 각각 5㎞와 10㎞, 26㎞ 경기에 출전해 충주 시민과 함께 달리면서 우의를 다졌다. 이 자리에 조길형 충주시장도 5㎞ 종목에 출전해 더욱 뜻 깊은 행사가 되었다.

일본 교류단의 마라톤대회 참가는 교류역사 20년 만에 처음으로 시 주관이 아닌 민간 주최 행사에 참가한 것이어서 그 의미가 컸다. 중부매일 충주지사 주최 충주사과 마라톤대회가 열린 이후 이를 계기로 전국 곳곳에서 마라톤대회 행사가 확산되고 있다. 충주사과 마라톤대회는 진행과정에서 많은 어려움이 있었지만 정구철 부국장의 헌신적 노력으로 해마다 2천~3천여 명이 넘는 건각들이 찾아와 맛있는 사과를 먹고, 사과 국수도 즐기면서 오늘 날까지 이어오고 있다.

충주사과 마라톤대회는 우리나라에서 가장 아름다운 마라톤 코스 중의 하나로 알려진 충주 탄금호반 코스에서 매년 가을에 열린다. 충주사과 마라톤대회가 쪽빛 호반과 푸른 하늘 아래 황금 들판을 달리는 좀 더 발전적인 행사로 이어지길 기대해 본다.

국회의원 선거에 뛰어들다

[선거란 누구를 뽑기 위해서가 아니라 누구를 뽑지 않기 위해 투표하는 것이다]

- 프랭클린 P. 애덤스 -

"대통령께서 국회의원 선거에 출마하라고 하는데 어찌하면 좋겠는가?"
1999년 10월 무렵이었다. 대검찰청 차장을 역임한 이원성 충주고등학교 동문회장이 사무국장을 맡고 있는 내게 넌지시 의견을 묻는 것이었다.

"국회의원 선거는 돈이 많이 들어갑니다. 출마 안 하시는 게 좋습니다."

일주일 뒤에 이원성 동문회장은 다시 내려와서 나를 만났다.

"위에서 국회의원에 나가라고 난리인데 안 나올 수도 없고 걱정스럽네."

"절대 나오시지 마세요. 무조건 못한다고 하세요!"

이 회장은 슬며시 동조해주길 기대하는 속내를 비쳤지만 나는 단호하게 출마하지 마시라고 말했다. 당시 충주에는 3선 시장이 국회의원에 출마하려고 엄청나게 공을 들이고 있었다. 게다가 김선길 자민련 소속 국회의원이 현직의원으로 버티고 있었다. 지역 정서에도 맞지 않는 새정치국민회의의 공천을 받아 국회의원으로 출마하면 시민들이 반가워하지 않을 거라는 생각에 나는 적극적으로 반대 의사를 밝혔다. 그렇게 완강하게 반대 의사를 밝혔음에도 이 동문회장이 세 번째 내려왔을 때에는 내게 아예 통고를 했다.

"대통령께서 권유하시니 더 이상 거절할 명분이 없네. 출마한다고 하고 내려왔으니 이제부터는 나오지 말라 소리하지 말고 무조건 나를 도와줘야겠네."

"알겠습니다."

선거를 6개월여 남기고 동문회장과 나눈 대화 내용이다. 나는 현직 기자로 활동하고 있었다. 중립을 지켜야 하는 입장에서 동문회장을 적극적으로 도와줄 방법도 없었다. 동문회장의 선거출마를 도와주기 위해 신문사에 휴직계를 제출했다. 선거운동을 시작한 지 6개월 후 이원성 후보는 국회의원에 당선되었다.

당선 확정 소식이 보도되던 다음 날 나는 선거를 적극 도와주었던 청주 출신 선배와 함께 다음날 제주행 비행기에 올랐다. 그런데 이원성 당선자가 나를 찾는다는 것이었다. 이튿날 당선자를 찾아갔더니 도와줘서 고마웠다는 인사와 함께 앞으로도 계속 자신을 도와 달라고 하는 것이었다.

"저는 다시 기자로 복직을 하겠습니다. 저를 표본으로 선거를 도와준 사람들의 논공행상을 정리하십시오."

다음날인 4월 20일 나는 중부매일 단양 주재기자로 발령을 받아 단양군으로 출발했다. 그로부터 6개월 후인 11월 7일 이원성 국회의원이 갑자기 뇌출혈로 쓰러졌다는 연락을 받았다. 이 의원은 장기간 병원 치료를 받아야 하는 상황이었다. 누군가가 대신 업무를 대행해주어야 하는 상황에서 이원성 의원이 정책보좌관을 맡아달라고 요청했다.

나는 1989년부터 2000년까지 12년간 충주에서, 6개월간 단양에서 활동한 주재기자 생활을 모두 마감하고 정식으로 신문사에 사표를 제출했다. 그리고 이원성 의원의 정책보좌관을 맡았다.

국회의원 정책보좌관 시절

[건강한 몸을 지닌 자가 아니고서는 좋은 부모, 좋은 자식, 좋은 이웃이 되기 어렵다]

— 페스탈로치 —

2000년 11월 열린우리당 이원성 국회의원이 갑자기 뇌출혈로 쓰러졌다는 '와병(臥病)' 소식은 지역 사회를 안타깝게 했다. 나는 건강을 회복하는 것이 그렇게 어렵고 힘들다는 것을 이원성 의원을 통해 생생하게 목격했다.

이후 이 의원은 거동이 어려워 회의나 공식 행사에 참석하지 못했다. 대신 모든 업무는 일일업무보고를 받으며 나를 통해 지시하고 점검했다. 뇌출혈로 쓰러진 이후 서울 현대아산병원에 6개월간 입원을 했고, 퇴원했지만 공식 활동은 개재할 수 없었다. 그저 서울 집에 머물면서 비서들 보고를 받고, 인근 공원을 산책하면서 재활운동을 하는 게 전부였다. 건강을 잃으면 모든 것을 다 잃는다는 금언이 뼈저리게 와 닿았다.

이때 정책보좌관을 맡아 충주지역을 위해 업무를 대행하는 동안 어려움이 많았다. 이 의원이 뇌출혈로 쓰러지자 사무실을 자주 찾던 사람들의 발길도 차츰 끊어졌다. 나는 남은 직원들과 함께 충주의 SOC 사업을 지원받기 위해 제천 단양의 송광호 국회의원, 청주 상당구 홍재형 국회의원에게 전화를 하고, 발이 닳도록 쫓아다니면서 협조를 요청했다.

이 의원의 와병이 장기화되자 일부 충주 시민들은 스스로 국회의원 자리를 내놔야 한다는 의견을 제시하는 분도 있었다. 그런 여론들을 불식시키면서 잔여 임기 동안 지역의 현안들을 해결하기 위해 정책보좌관 입장에서 최선을 다했다. 특히 와병 중이어서 지역구 일에 소홀하다는 소리를 듣지 않기 위해 열심히 뛰어다녔다.

외롭고 힘든 시간 속에서도 인간적으로 고마운 몇 분이 계셨다. 충주 야당의 산증인이라 불릴 정도로 평생 야당에 몸담았던 새정치국민회의 충주지구당 오성록 고문과 이기현 고문은 뜨거운 땡볕에 수박 한 통을 사 들고 찾아오셨다. 그때의 고마움을 잊지 못해 지금도 오성록, 이기현 고문을 찾아가 인사를 드리곤 한다.

그렇게 3년간 보좌관 생활을 하면서 홍재형 의원과 송광호 의원을 찾아다니면서 도움을 요청하고, 의원실 직원들과 원만하게 지내는 중심 역할을 한 것에 대해 다행스럽게 생각한다.

와병 중에도 연간 8백억 원의 중부내륙고속도로 예산을 받아와서 준공을 1년 앞당기는 역할을 한 것은 물론 재향군인회관과 새마을회관 건립에 따른 예산을 지원하는 등 크고 작은 일들을 열심히 할 수 있도록 도와주신 지역민들에게 감사드린다.

어려운 일도 많았다. 국회의원 정책보좌관을 맡자 특혜라도 얻어 이권만 챙기는 양 오해도 많이 받았다. 심지어는 1993년에 정식 허가를 받아 운영하는 개인주유소에 대해서도 권력을 이용해 허가를 받은 줄 알고 동종업계에서 10번 이상 투서를 하는 등 갖은 곤욕을 당하기도 했다.

내가 만났던 노무현

[대통령을 욕하는 것은 민주사회에서 주권을 가진 시민의 당연한 권리입니다. 대통령을 욕함으로써 주권자가 스트레스를 해소할 수 있다면 전 기쁜 마음으로 들을 수 있습니다]

- 노무현 前대통령 -

일과를 마치고 집에서 쉬다 우연히 수요일 심야 프로그램 〈강적들〉을 볼 기회가 있었다. 생각이 다른 사람들이 하나의 정치적 주제를 놓고 격렬한 토론을 벌이는 프로그램인데 마침 주제가 인간 노무현에 대한 평가였다.

노무현 前대통령은 사법고시에 합격하고 변호사가 되어 변론하다 정계에 뛰어들었고, 민주당 시절에는 청문회 감사장에서 정주영 회장과 전두환 前대통령을 속 시원하게 몰아세웠던 청문회 스타로 유명하다.

제16대 대통령 선거때 압도적인 지지를 받던 이인제 후보자가 노 후보 장인어른의 좌익 경력을 문제 삼은 적이 있다. 이때 노 후보가 정면 대응하면서 대의원들에게 했던 명연설은 지금도 많은 사람들에게 오르내리고 있다. 당시의 명연설 내용을 옮겨보자. 이 연설을 큰소리로 따라서 읽다 보면 노무현 前대통령의 육성을 느낄 수 있다.

"제 장인은 좌익 활동을 하다가 돌아가셨습니다. 저는 이 사실을 알고 제 아내와 결혼했습니다. 그리고 아이들 잘 키우고, 지금까지 서로 사랑하면서 잘 살고 있습니다. 뭐가 잘못됐습니까? 이런 아내를 제가 버려야 합니까? 그렇게 하면 대통령 자격이 있고, 이 아내를 그대로 사랑하면 대통령 자격이 없다는 것입니까? 여러분! 이 자리에서 여러분들이 심판해 주십시오!

여러분이 그런 아내를 가지고 있는 사람은 대통령 자격이 없다고 판단하신다면 저 대통령 후보 그만두겠습니다. 여러분이 하라고 하면, 열심히 하겠습니다!"

우리 사회에서 좌익이라는 꼬리표가 붙었을 때 이를 벗어나기가 힘들다는 것은 국민 모두가 안다. 더욱이 노무현 후보는 의혹 정도가

세 가지 물음에 자신 있게 답할 수 있는가?

아니고 장인어른의 좌익 활동이 사실로 밝혀진 경우였다.

그런데도 노 후보는 이에 굴하지 않고, 무서운 망령인 색깔론에 '정면 돌파'라는 승부수를 던졌다. 노 후보는 이 연설에서 아내를 사랑하는 마음을 가감 없이 표현했고, 이때부터 반전에 성공하면서 이인제 후보를 앞서가기 시작했던 것으로 기억한다.

2001년부터 대통령 선거를 앞두고 유력한 후보 물망에 오른 민주당 대통령 후보 출마자들이 충주시지구당을 잇따라 방문했다. 이원성 지구당위원장이 유고 상황이었으니 충주시지구당 당원들을 불러모아놓고 후보자들이 연설하고 접촉할 수 있도록 최선을 다하는 것도 오롯이 내 임무이자 역할이었다.

나는 이인제, 정동영, 한화갑, 노무현 등 거물급 인사들이 충주에 내려올 때마다 당원들을 모이게 하고, 대선 후보들에게 당원들의 의견을 전달하고 후보들의 강연회를 개최하는 등 전국 최고의 지구당이라는 소리를 듣기 위해 열심히 뛰었다.

정동영 의원이 왔을 때는 인근 식당에서 가서 당원들과 삼겹살을 함께 먹었는데 나중에 정동영 후보로부터 "그렇게 맛있는 삼겹살을 먹기는 난생처음이었다"면서 고맙다는 격려의 전화까지 받았다.

내가 노무현 후보를 처음 만난 것도 이 무렵이다. 당시 자연인 신분이었던 노무현 후보가 충주에 와서 강연을 한다고 하기에 당원 2백여 명을 모아놓고 기다리고 있었다. 그런데 행사장에 도착한 노 후보가 어디선가 전화를 받더니 급히 서울로 올라가야 한다고 하는 것이었다.

당원들 앞에서 인사말만 하고 떠나려는 노 후보에게 "그냥 가시면 어떡하느냐? 강연할 시간이 없으면 노래라도 한 곡 부르고 가시라!"고 요청했다. 그러자 "그럼 해볼까요?"라고 하더니 <아침이슬>을 멋들어지게 불렀다. 당원들 몇 명이 다시 앙코르를 외쳤다. 그러자 "시간이 없지만 그래도 요청을 하니 앙코르에 응해볼까요?" 하더니 〈선구자〉를 힘차게 부르고 박수갈채를 받으면서 서울로 올라가던 모습이 지금도 눈에 선하다.

노무현 후보를 두 번째 만난 것은 본격적인 경선이 치러질 때였다. 이인제 후보를 비롯해 정동영 후보, 추미애 후보 등 많은 사람들이 충주를 방문했는데 충주사람들은 노무현 후보를 특히 좋아해 열렬히 환영했다. 그러자 노무현 후보도 기분이 좋았는지 "대통령이 되면 반드시 충주를 다시 방문하겠다"고 약속을 했다.

세 번째 만남은 선거운동을 위해 노무현 후보가 이원성 위원장을 찾아갔을 때 옆에서 배석을 하고 있었더니 노 후보가 "충주에 갔을 때 분에 넘치는 환대를 받았다"면서 고맙다고 이야기를 하는 것이었다.

개인적으로 만나 본 노무현 후보는 표정도 없고, 얼굴도 무뚝뚝하게 생긴 편이었다. 그럼에도 충북에서, 특히 충주에서 제일 많은 표를 얻었다. 노무현 前대통령은 선거를 치르는 동안 이원성 국회의원에게 정말로 깍듯하게 대했다.

노무현 후보가 제16대 대통령으로 당선되는 과정은 스릴과 긴장감이 넘치는 드라마와 같은 과정의 연속이었다. 당시 한나라당 이회창 후보가 당선을 확신하면서 편안하게 결과를 기다리는 상황이었다면 노무현 후보는 이인제 후보와의 경쟁에 이어 정몽준 후보와의 단일화 과정을 거치면서 가파른 지지율 상승을 끌어내고 있었다.

특히 대통령 선거 전날인 12월 18일 명동유세를 마친 이후 정몽준 후보는 일방적으로 단일화 파기를 선언했다. 정몽준 후보와의 단일화가 깨지는 순간을 목격하자 참담한 기분이 들었다. 우리는 대통령 선거를 열심히 했던 당원들 30여 명과 인근 맥주 집에서 단일화 실패에 대한 절망감에 밤을 지새웠다.

이튿날 투표가 시작되면서 오전에는 졌다는 판단이 났지만 오후 2시부터 분위기가 반전되더니 불과 3~4시간 만에 역사가 뒤바뀌는 현장을 목격하게 됐다. 국민의 힘이 참으로 위대하다는 것을 가슴 벅차게 느꼈다.

노무현 前대통령에 대한 평가는 생전보다는 사후에 더 좋게 내려지는 분위기이다. 다른 것은 몰라도 나도 분명하게 노무현 前대통령이 훌륭하다고 평가하는 부분이 있다. 노무현 前대통령이 선거의 고질병이었던 돈 선거를 완벽하게 막았다는 점이다. 실제 당시 충주지역 책임자로 선거를 치를 때도 중앙에서 내려온 예산은 전혀 없었다. 누가 뭐래도 노무현 前대통령은 돈이 안 드는 선거 풍토를 만드는 데 결정적 역할을 했다는 것은 분명하다. 이는 역사적으로도 가장 위대한 일중의 하나이며, 높이 평가를 받아야 할 부분이라고 강조하고 싶다.

역사에 가설이 있다면?

[역사는 죽은 과거가 아니라, 현재 속에 살아있는 과거다]

— 콜링우드 —

나는 충주고 동문회 사무국장을 맡아 일하면서 지역에서 고향을 위해 활동할 수 있는 기반을 다질 수 있었다. 그런 점에서 동문들에게 늘 감사한 마음을 갖고 있다. 동문회 활동을 하는 동안 많은 선후배들을 자연스럽게 만났고, 그들로부터 받은 물심양면의 도움들이 오늘의 나를 형성한 원동력이 되었다.

그중의 한 분이 바로 이원성(전 충주고등학교 동문회장, 전 국회의원) 선배다. 이원성 선배와의 인연은 오래전으로 거슬러 올라간다. 이원성 선배와 함께 충주중학교 동문이면서 사법고시에 합격한 박상완 검사가 있다. 그는 우리 마을 출신이었는데 박 검사는 친척이 있는 충주시 수안보면 문강리 문산에 자주 놀러 왔었다. 고등학교 시절 박 검사가 이원성 의원과 함께 사법고시에 합격해서 서울지검 검사로 재직하고 있을 때 박 선배를 만나러 갔었다.

이때 박 검사가 이원성 검사를 '훌륭한 검사, 크게 될 검사'라고 칭찬하는 것을 듣고 이원성 검사의 존재감을 알게 되었다. 불행하게도 박 검사는 암으로 일찍 세상을 떠났다.

그 이후 이원성 검사와 동문회 모임에서 만나면 인사만 하고 지내는 정도였다. 그러다가 중부매일 충주 주재기자로 있을 때 당시 조주연 동문회장이 나에게 충주고 동문회 사무국장 일을 맡기면서 자주 만나게 되었다. 조주연 회장의 임기가 끝나갈 무렵에 차기 동문회장을 누구로 모실 것인가를 놓고 논의하다가 당시 대구고검장으로 근무 중인 이원성 동문을 회장으로 모시는 게 좋겠다는 쪽으로 의견이 모아졌다.

동문회 임원진의 의견을 전달하기 위해 이원성 대구고검장을 찾아가서 우리의 뜻을 전달했다. 처음에는 완강히 고사(固辭)를 하는 것이었다. 조주연 동문회장에게 이 사실을 보고하고 두 번째 다시 대구로 내려가 동문회의 입장을 재차 간곡하게 전달했다. 그러자 이 고검장은 "나보다 덕망이 높은 선배님도 많으실 것이다. 선배 동문님 중에서 동문회장 출마할 사람이 없고, 그 상황에서 나를 추천한다면 적극 고려

해보겠다. 또한 공직에 몸담고 있어 동문회 기금을 많이 출연할 수 없으니 두 가지만 확약해 준다면 봉사할 의향은 있다"고 말했다.

두 가지를 충족시키기로 하고 추대하자 그는 동문회장 직을 수락했다. 그리고 나를 사무국장으로 연임시켰다. 사무국장을 하는 동안 여러 동문회장들을 모셨지만 이원성 회장은 가장 말이 없는 분이었다. 모임 장소에 가면 다른 사람들 의견을 열심히 듣는 것이 전부였다. 동문회장이 유일하게 하는 말이 "알았어", 또는 "예산이 얼마나 드오?"라고 묻는 것이 전부였다. 그리고는 동문회 예산을 만들거나 행사 기획을 할 일이 생기면 동문 중에서 크게 성공하여 기업을 경영하는 동문을 소개해 주거나, 명망 있는 회원을 영입시켜 해결되도록 다리를 놓아주었다.

충주고 동문회의 최고 전성기는 이원성 동문회장 시절이었다고 해도 과언이 아니다. 이때 동문회가 활성화되면서 동문회관도 건립됐고, 충주에 사는 많은 사람들도 동문회 활동에 적극적으로 참여하게 되었다. 이원성 회장은 부산고검장을 거쳐 대검 차장, 국회의원을 할 때까지 동문회장을 맡았다. 대검차장으로 근무할 당시에는 우수한 지청장들만을 골라서 충주 지청장으로 추천했다.

그래서인지 충주에 왔던 지청장들은 서울로 올라가면 모두 다 승승장구했다. 그중에서 검찰총장도 나왔고 법무부차관도 나왔다. 당시 한상대, 길태기 청장 등은 지역을 평안하게 만드는 데 큰 역할을 했다.

고려대 출신인 이 의원은 바쁜 선거 때에도 이명박 前대통령, 천신일 세중나모여행사 회장과 자주 만날 정도로 아주 가까운 사이였다. 고려대학교 동문인 이들은 서울에 올라가면 함께 식사도 자주 했고, 국회의원에 당선되어 올라갔을 때에도 고대 동문인 이명박 前대통령과는 자주 어울렸다. 그러나 이명박이 대통령에 당선되었을 때 이 의원은 뇌출혈로 쓰러져 있었다.

이 의원은 자존심이 무척 강했다. 평소에도 몸이 불편한 모습을 절대로 보이지 않으려 하는 전형적인 충청도 양반이었다. 그가 만약 쓰러지지 않고 국회의원 활동을 계속했다면 충주의 역사는 지금과 다르게 바뀌었을 것이다. 당적이나 정치성향에 관계없이 이원성 의원이 병으로 쓰러지지만 않았다면 평생 쌓아온 경력과 인맥을 발휘하여 임기 동안 충주 발전에 크게 이바지했을 게 분명하다.

이명박 前대통령 임기 때 현직 국회의원으로 건강하게 활동하고 있었다면 더 깊은 관계로 발전하고 지역발전과도 연계될 수 있었을 텐데 하는 아쉬움이 남는다.

이 의원이 건강한 몸으로 승승장구했다면 지역의 정치구도도 지금과 다른 판도로 바뀌었을 것이다. 결국 이원성 국회의원이 뇌출혈로 몸져 눕는 바람에 충주의 정치판은 이때부터 지금까지 중심을 잡지 못하고 난립하는 양상을 보여 왔다.

2004년 이시종 시장이 중도 사퇴하고 제17대 국회의원 선거에 출마하면서부터 시작된 충주의 재·보궐선거는 2006년 한창희 시장이 출입기자 촌지 사건으로 당선 무효형이 확정되면서 재선거가 치러졌다.

이어서 2010년 이시종 지사가 국회의원직을 사퇴하고 충북도지사에 출마하면서 국회의원 보궐선거를, 2011년에는 우건도 시장이 선거법 위반으로 당선 무효가 되면서 재선거를, 그리고 지난해에는 윤진식 국회의원이 도지사 출마로 보궐선거가 실시되고 이종배 국회의원이 당선되는 등 지난 10년 동안 무려 다섯 번의 재·보궐선거를 치러야 했다. 그 바람에 충주시는 전남 화순군, 경북 영천시와 청도군과 함께 '재 · 보궐 선거 1번지'라는 오명을 얻었다. 충주의 정치판은 난장판이 되고, 충주의 민심은 갈기갈기 찢어지고 말았다.

더 심각한 것은 보궐선거가 잦다 보니 시청 일부 공무원들이 윗사람 눈치 보기에 급급해지면서 선거형, 선거 추종형 공무원들로 돌변했다는 사실이다. 공무원들이 눈치를 보느라 일하지 않는 풍토가 생기면서 "충주시 행정은 되는 것도 없고 안 되는 것도 없다"는 말 그대로 대한민국에서 가장 일 추진이 더딘 지역이라는 자조적인 말들을 지금까지 듣고 있다.

누구나 마음속에 새장을 품고 있으면 언젠가는 그 안에 담을 무엇인가를
갖기 마련이다. 나 역시도 순간순간 늘 최선을 다해 살다 보면, 생각
하는 게 반드시 이루어진다는 것을 실제로 체험하는 계기가 되
었다. 웅변은 내게 교훈을 주었고, 기쁨을 주었으며, 행
동을 하게 만들었다. 대통령상을 받고 돌아오는
비행기 안에서 나는 또 다른 꿈을꾸었다.

속시원하게 살자

3부

"나는 다시 태어나겠다"

도의회의원에 당선되다

[꿈을 품고 뭔가 할 수 있다면 그것을 시작하라. 새로운 일을 시작하는 용기 속에 당신의 천재성, 능력, 기적이 모두 숨어 있다]

- 괴테 -

 내가 국회의원 정책보좌관의 임기를 마치지 않고 그만둔 이유는 크게 두 가지다. 첫째는 이원성 의원이 재출마가 불가능한 상황이니 더 정책보좌관을 할 수 없었다. 둘째는 이원성 국회의원과 함께 지지했던 후보가 민주당 공천을 받지 못하고 다른 후보가 공천을 받는다는 것을 알게 된 이상 더 이상 민주당에 남아 있을 이유가 없었다. 조금이라도 진퇴를 제때 하지 못하면 내 인생에 엇박자가 날 수 있다는 생각이 들어 선거를 7개월 앞두고 미련 없이 사표를 제출했다.

그러자 평소 친분이 두텁던 천정욱 한나라당 충주지구당위원장으로부터 도의원에 출마해보라는 권유를 받았다. 나는 정치를 할 생각은 없었다. 그러나 내가 태어나고 자란 고향 충북과 충주 시민들을 위해 봉사하는 것도 인생에서 값진 일이고, 또 내가 제일 잘할 수 있는 일이라는 생각이 들었다. 2005년 8월 한나라당에 입당원서를 제출하고 도의원 출마에 도전했다.

한나라당 공천을 받아 출마할 도의원 후보로 나를 비롯하여 윤성옥, 윤길상 3명이 신청했는데 심사를 거쳐 내가 최종 후보로 확정됐다. 그런데 윤성옥 후보가 공천에서 탈락하자 탈당해서 무소속으로 출마했다. 그 바람에 민주당 고명종 후보, 무소속 윤성옥 후보와 3파전을 벌인 끝에 충주시 제1선거구 도의원에 당선됐다.

다음날 패배한 민주당 고명종 후보는 우리 사무실을 찾아와 "훗날 다시 한 번 멋진 경쟁을 하자"면서 나의 당선을 진심으로 축하해주었다. 그러나 그는 얼마 후 건강 이상으로 안타깝게 세상을 떠났다. 나는 비통한 마음으로 고 후보의 상가에 들러 진심으로 명복을 빌었다. 선거 과정에서도 페어플레이를 했고, 나의 당선이 확정되자 찾아와서 축하까지 해줄 정도로 큰 재목이었는데 유명을 달리해 너무나 안타까웠다.

멋모르고 시작한 도의원 생활은 내게 엄청나게 매력이 있는 일이었다. 나는 12년간 기자생활을 하면서 얻은 행정 감각과 국회의원 정책 보좌관을 한 덕분에 누구보다도 열심히 의정활동을 왕성하게 펼칠 수 있었다. 도의원으로 활동하는 동안 기억에 남는 일들을 많이 했지만 세계조정경기대회 유치와 서울시 영등포구에 새 충북학사인 '충북미래관'을 신축하도록 한 일이 가장 큰 보람으로 남아 있다.

충주 공설운동장을 가득 메운 반기문 유엔사무총장 환영대회

[가치 있는 목표를 향한 움직임을 개시하는 순간 당신의 성공은 시작된다]

- 찰스 칼슨 -

2006년 6월 충북도의회의원에 처음으로 당선되었을 때 반기문 총장은 나의 도의원 당선을 진심으로 축하해주셨다. 그리고 4개월 뒤인 2006년 10월 14일 반기문은 한국인으로서는 최초로 유엔 사무총장에 당선되었다. '세계의 대통령'으로 불리는 영예로운 자리에 한국인 유엔사무총장이 선출되었다는 것은 대한민국 국민 모두에게 커다란 기쁨과 자랑거리가 아닐 수 없다. 반기문 유엔사무총장의 첫 5년간 임기는 2007년 1월 1일부터 예정되어 있었다. 나는 반기문 유엔사무총장의 당선을 진심으로 축하하는 충주 시민 환영 행사를 대대적으로 열고 싶었다.

이때 충주는 시장 보궐선거를 열흘 앞두고 있었다. 김호복 후보의 당선이 확실시되는 분위기였다. 그러나 선거가 진행 중이다 보니 환영 행사 준비를 상의할 곳이 없었다. 충주시청을 찾아가 담당 공무원들에게 반기문 유엔사무총장 당선 환영회를 열자고 제의했다.

"취지는 좋지만 시장도 공석인 데다 예산이 없어 추진이 어렵습니다."

모두 난색을 표했다. "제가 앞장서서 추진할 테니 행정지원이라도 적극적으로 해주세요." 소요예산을 뽑아보았다. 최소 1억 원 이상이 필요할 것 같았다. 먼저 동문들을 찾아 나섰다. 초등학교와 중학교는 동문회는 활성화되어 있지 않았다. 충주고등학교 남승현 총동문회장에게 찾아가 취지를 말씀드리자 동문회에서 4천여만 원의 예산을 선뜻 지원해주었다. 도지사에게도 도움을 요청했더니 충주시를 통해 1천5백만 원의 예산을 협조해주었다. 모두 5천5백만 원이 모아졌다. HCN 방송국 경대호 사장과 이덕희 PD에게도 방송 도움을 요청했다.

1부 행사 환영회에 이어 2부로 축하공연 행사를 보여줘야 하는데 반기문 총장과 품격이 어울릴 가수가 누구인가를 놓고 방송국 후배 PD의 자문을 받았다. 최소한 유명가수 '비' 정도가 와야 하고 그러려면 최소 1억 원의 예산은 있어야 행사를 할 수 있다고 하는 것이었다.

비는 당시 최고의 인기스타였다. 솔직히 그를 섭외할 예산은 없었다. 그렇다고 포기할 순 없었다. 나는 방송국 PD와 비의 매니저를 만나서 "세계대통령 반기문 유엔사무총장의 취임을 축하하는 환영의 자리이니 꼭 와서 공연을 해주면 월드스타 비에게도 도움이 될 것"이라고 끈질기게 설득했다. 그러자 매니저는 무료 공연을 하는 대신 조건을 내걸었다. 축하공연을 시작하기 전에 반기문 유엔사무총장과 가수 비가 20분간 대담을 할 시간을 갖게 해달라는 것이었다. 이 자리에서 비는 대한민국의 위상을 세계에서 한층 올린 반기문 총장에게 감사와 축하의 인사를 개인적으로 나누고 싶다는 의사를 밝혔다. 무조건 좋다고 합의했다.

환영 행사가 열리는 10월 28일은 충주시 최대의 잔칫날이었다. 김호복 시장이 당선된 이후 첫 행사였다. 게다가 반기문 유엔사무총장

나는 다시 태어나겠다

을 축하해주기 위해 20여 명 이상의 국회의원들이 충주시를 방문했다. 역사상 이렇게 많은 국회의원들이 한날한시에 충주를 찾아온 예가 없었다.

환영회가 시작되자 반기문 총장은 예정 시각보다 빨리 행사장에 나타났다. 반기문 총장에 대한 사회자의 약력보고에 이어 반 총장이 학생들에게 보내는 메시지를 낭독했다. 반 총장이 어린 시절 추억과 함께 '여러분들이 이 시대 최고의 가치가 있는 학생들'이라고 추켜세우자 충주 학생들의 반응은 용광로처럼 뜨겁게 달아올랐다. 지금 이 시간이 최고로 가치가 있는 순간으로 느껴져 진행하는 나 역시도 가슴이 벅차올랐다.

반 총장은 환영 행사에 앞서 진행자인 내게 특별히 주문한 것이 있었다. 바로 자기의 스승을 찾아 그 자리에서 꼭 뵐 수 있도록 해달라는 요청이었다. 행사에 앞서 초, 중, 고등학교 은사님을 알아본 결과 모두 다섯 분이 계셔서 어렵게 행사장에 모셨다. 이날 반 총장은 그 많은 청중들이 보는 앞에서 단상 아래로 직접 내려가서 선생님들에게 직접 마련한 선물을 전달하면서 겸손한 자세로 인사를 했다. 그 모습을 보면서 그의 인간다운 면모와 함께 진한 감동을 느낄 수 있었다.

1부 행사를 마치고 2부 행사에 들어가려고 하는데 방송국 PD가 와서 사회를 보는 내 다리를 마구 흔들었다.

"무슨 일이세요?"

"큰일 났습니다. 행사가 끝나서 2부 쇼가 들어가야 하는데 비가 공연할 준비를 하지 않고 있습니다."

반기문 총장이 무대에 올라가기에 앞서 귀빈실에서 비와 20분간 인터뷰를 하기로 했었는데 예정보다 훨씬 많은 사람들이 몰려와서 인사를 나누는 바람에 비와의 인터뷰 약속 시간이 지켜지지 않자 몹시 언짢아하고 있다는 것이었다.

참으로 난감했다. 나는 반 총장의 손을 잡고 귀빈실로 가면서 "세계적인 가수 비를 섭외해 왔는데 우리가 약속을 안 지키는 바람에 잔뜩 화가 나 있다. 가서 비의 마음을 풀어주시고 공연이 원만히 진행되도록 했으면 좋겠다"고 말씀드렸다. 자초지종을 들은 반 총장은 두말없이 직접 대기실로 가서 비를 보더니 두 손을 잡고 "여기까지 찾아와서 고맙다. 내가 미처 보고를 받지 못해서 이런 상황이 벌어진 것 같다. 우리 비도 세계로 뻗어 가는 자랑스러운 연예인이고 나도 세계적인 일을 하러 가려는 유엔총장인데, 나중에 미국에서 나를 초청해주면 격려해줄 테니 오늘 공연을 잘 마쳐주었으면 좋겠다"고 부드럽게, 그러면서도 겸손한 어조로 화해의 말을 건넸다.

가수 비도 반 총장의 이야기를 듣고는 서운한 감정을 풀고 곧바로 준비에 들어가 충주 시민들에게 멋진 공연을 선사했다. 이날 공연에는 비 이외에 슈퍼주니어, 자우림 등도 찬조 출연해 충주 시민들을 환호와 감동의 도가니로 몰아넣었다.

역사적인 현장에서 사회를 맡아 진행하는 동안 세계의 대통령, 유엔 사무총장도 중요하지만 이보다는 행사를 진행하고 준비하는 과정에서 반기문 총장의 인간성과 세심함, 주위를 생각하고 돌아보면서 배려하는 모습을 보면서 그에게 고마웠다.

특히 만찬 자리에서 은사를 초청하고 스승님을 배려하는 모습, 꿈나무 학생들에게 당부하고 지극 정성을 쏟는 모습을 보면서 많은 것들을 배울 수 있었다. 반 총장은 그 후 세계 지구촌 구석구석을 찾아

다니면서 어린이들과 학생들을 정성을 다해 대하는 모습들을 보여주어서 그의 진정성을 느끼게 해주었다.

반기문 유엔사무총장의 모교인 교현초, 충주중, 충주고 동문회와 충주시가 공동으로 주최한 환영 행사는 지역 기관 단체장를 비롯하여 약 1만 여명의 시민이 참여한 가운데 진행되었으며, 충북지역 HCN 방송은 콘서트를 비롯한 환영 행사 전반을 생중계했다. 이는 중국, 일본, 대만, 필리핀 등의 아시아 지역에 방영되는 TV 채널에서 녹화 방영되기도 했다.

나는 2007년 미국을 방문해 반기문 총장을 만났다. 저녁 만찬을 하며 2006년 환영 행사를 회상했다. 가수 비와 반기문 총장 덕분에 무사히 치러진 행사였다. 나는 비의 미국 공연에 반기문 총장이 참석해 세계적인 우리나라 가수에게 더 큰 자긍심을 주는 게 어떻겠냐고 말했다. 반기문 총장은 흔쾌히 승낙했다.

부탁이라는 건 어렵다. 하지만 그렇게 어려운 일은 아니다. 그리고 그 부탁을 수긍하는 것 또한 어렵지만 어려운 일이 아니다. 모든 일은 양면성을 갖고 있다. 이 양면의 힘을 믿고 남에게 베풀면 언젠가 나에게도 좋은 도움이 찾아올 것이다.

현장에 정치가 있고, 현장에 답이 있다

[현재 있는 곳에서 시작하라. 떨어진 곳이 더 풍요롭게 보일지 모르지만 기회는 항상 당신이 서 있는 바로 그곳에 있다]

- 코버드 콜리어 -

충북도의회의원이 되어 했던 활동 중에서 몇 가지 기억에 남는 일들이 있다. 그 중 첫 번째는 새로운 충북학사를 신축하도록 한 것이다. 충북학사는 서울에 소재한 대학에 다니는 충북 출신 학생들의 학습과 생활지원을 위해 충북도에서 만든 기숙사이다.

2006년 10월 나는 충북도의회 건설문화위원회 소속으로 서울 개포동에 있는 충북학사로 행정사무감사를 가게 됐다. 현장을 둘러본 결과는 충격적이었다. 놀랍게도 충북학사 시설은 60년대 여인숙 시설을 벗어나지 못하고 있었다.

남녀 공용으로 쓰는 화장실과 낡은 세면대를 보고 있으려니 기가 막혀 할 말이 나오지 않았다. 서울에 있는 명문대학교로 진학했다면 나중에 주요 요직에 진출해서 고향 충북은 물론 나라를 위해 귀하게 쓰일 미래의 인재들인데 이들이 이런 열악한 상황에서 공부를 하고 있다고 생각하니 낯이 뜨거워 견딜 수 없었다.

충북학사는 1992년 문을 열었지만 2006년 10월까지 충북도에서 어느 누구도 책임자가 이곳을 방문한 적이 없었다. 나는 도의회에서 선배와 동료의원들에게 충북학사의 이런 문제점을 5분 발언과 도정질문을 통해서 강력하게 제기하고 개선의 필요성을 주장했다.

그러나 충청북도는 꿈쩍도 하지 않았다. 나는 계속해서 이 사안을 가지고 물고 늘어졌다. 그러다 이듬해인 2007년 괴산군 고추축제 행사장에서 정우택 도지사를 단독으로 만났을 때 충북학사 개선의 필요성을 강력하게 호소했다. 정 지사는 충북학사를 방문하여 현장을 직접 보고는 심각한 상황이라는데 인식을 같이했다. 기존의 학사를 매각하고 아예 신축해서 옮기기로 결정했다. 그 결과 430여억 원의 예산을 들여 2009년 9월 서울시 영등포구 당산동에 '충북미래관'을 건립했다. 지하 1층 지상 10층 규모인 충북미래관은 대지 2,692㎡에 연면적 1만 2,586㎡로 1층 인재홍보관과 만남의 장, 2층 서울사무소와 시·군 사무소, 3층 학사원장실, 상담실, 서고 등이 들어섰고, 4층부터 9층까지는 기숙사, 10층은 체력단련실과 하늘정원, 식당이 위치해 있다.

충북미래관은 옛 학사에 3인 1실에서 2인 1실(17.5㎡)로 개선돼 생활 공간은 3배 정도 확대됐으며, 호실별로 세면장과 샤워장, 화장실이 마련됐고, 각 층에는 탁구장과 당구장을 두어 심신단련에도 크게 배려하였다. 특히 10층 식당과 하늘정원은 한강 조망권이 확보돼 전국

학사 중에서 최고의 시설이라는 평가를 받고 있다.

특히 정 지사의 결단으로 '충북미래관'을 전국 최고의 수준을 자랑하는 시설로 신축하면서 지금 우수한 충북의 미래 인재들이 쾌적한 환경 속에서 향학열을 불태우고 있다.

이런 경험을 통해서 나는 현장에 정치가 있고, 현장에 답이 있다는 것을 몸소 깨우쳤다. 현장의 중요성을 깨달으면서 이후 나도 현장을 중심으로 살피는 의정활동을 펼치게 되었다.

지역발전을 앞당긴 세계조정선수권대회

[시작하는 방법은 그만 말하고 이제 행동하는 것이다]

- 월트 디즈니 -

2007년 충주에서는 아시아조정선수권대회가 열리기로 되어 있었다. 2006년 도의회 건설문화위원으로 활동하면서 충주지역 도로 환경을 살폈더니 충주 탄금대에서 가금면, 가금면에서 노은까지 2개 구간으로 나뉘어 지방도 확포장사업이 진행되고 있었다. 국가지원 지방도로는 충북도에서 연간 3백억 원 가량의 예산을 들여 지원하는 사업이다. 이 돈으로 충북 도내 7~8개 지역의 국가지원 지방도로를 지원하면 1개 지역당 40억~50억 정도가 배정된다.

탄금대~가금, 가금~노은까지의 구간은 1,500억 원이 소요되는 공사로 연간 50억 원씩 지원하면 30년이 걸려야 완공이 가능하다. 그러나 이 구간은 충주 시민들에게 굉장히 중요한 공사다. 왜냐하면 충주

시민들이 서울로 가려면 충주~충주 IC, 또는 달천~ 충주 IC를 지나서 간다. 그런데 탄금대~노은 IC 구간이 확포장 되면 충주~서울 간 소요시간이 대폭 단축되어 시간절약은 물론 교통비, 물류비도 크게 줄면서 지역의 비약적 발전을 가져다주는 절호의 기회가 될 수 있다.

나는 김호복 시장을 찾아가서 이런 상황을 설명했다.

"2007년 아시아조정선수권대회가 열립니다. 조정은 비인기 종목이지만 세계조정선수권대회를 충주 탄금호에 유치하면 국비를 받을 수 있습니다. 탄금대에서 노은까지 국비를 받아서 2013년 안에 이 도로를 완성시키면 충주로서는 엄청난 이익을 얻을 수 있으니 우리 힘을 합쳐서 세계조정선수권대회를 유치합시다."

김 시장도 이에 동참해 세계조정선수권대회 유치에 발 벗고 나섰다. 2007년 8월 나는 김 시장과 함께 독일 뮌헨 세계조정연맹 오스왈드 회장을 만나 2013년 세계조정선수권대회 유치 희망 의사를 전달했다. 오스왈드 회장이 긍정적 의견을 밝힘에 따라 세계 각국을 다니면서 세계조정선수권대회 유치작전을 전개했다.

덕분에 충주는 2013년 세계조정경기대회를 유치했고, 관련 도로를 조속히 완공해야 한다는 당위성에 따라 정부사업으로 추진되어 인근 도로가 빠르게 개통되었다. 지금 충주 시민들은 서울을 오가는데 엄청난 혜택을 보고 있다. 도로 개통은 충주 IC의 교통량 분산에도 큰 역할을 했다.

중원문화권 핵심 지역의 도로사정이 좋아지면 관광 인프라 향상에도 큰 몫을 하게 된다. 이는 주민과 호흡하는 현장중심의 도의회 의정활동을 한 결과 덕분이다. 이 과정에서 기간 내에 준공될 수 있도록 끝까지 예산확보를 도와준 윤진식 국회의원의 절대적인 도움도 한몫

했음은 물론이다.

"세종시 원안대로 추진하지 않으면 탈당도 불사하겠다"

[어떤 일이 도저히 불가능하다고 스스로 믿고 시작하는 것은 그 일을 불가능하게 만드는 원인이다]

– 워너메이커 –

세종특별자치시(世宗特別自治市)는 대한민국 중부에 있는 광역자치단체이다. 시의 중심에는 금강과 미호천이 흐르고, 남쪽으로 대전광역시, 서쪽으로 충청남도 공주시, 동쪽으로 충청북도 청주시, 북쪽으로 충청남도 천안시와 접해 있다.

세종시는 국토 균형발전 가치를 실현하고, 서울의 과밀화를 해결하기 위해서 혁신도시 사업과 연계하여 참여정부 시절부터 추진되었다. 옛 충청남도 연기군 전체와 공주시 일부(현 장군면), 충청북도 청원군 일부(현 부강면)를 편입하여 2012년 7월 1일에 출범하였다. 세종시의 이름은 국민 공모를 통해 선정되었으며, 조선 세종의 묘호를 따서 세상(世)의 으뜸(宗)이라는 의미를 담고 있다.

노무현 대통령 후보는 2002년 민주당 중앙선거대책위원회 출범식에서 충청권 수도 이전 공약을 발표하였다. 수도 이전지로 대전을 염두에 두고, 수도권 집중 억제와 낙후된 지역경제 문제의 근본적 해결을 위해 충청권에 행정수도를 건설하고, 청와대와 중앙부처를 옮겨가겠다고 공약했다. 노무현 前대통령은 당선된 후 2003년 4월 신행정수도건설추진기획단·지원단을 발족시켰다. 7월 신행정수도특별조치법(안)을 입법 예고하였고, 12월 신행정수도특별조치법(안)이 국회 본회의에서 여야 합의로 가결되었다.

그러나 헌법재판소는 2004년 10월 '서울이 수도'라는 관습헌법이 존재한다는 판단을 내리며, 수도 이전은 법률 제정이 아닌 헌법 개정을 통해 이뤄져야 한다며 '신행정수도건설특별법'에 위헌 결정을 내렸다. 이 판결로 서울에 있던 일부 행정 부처만 이전하게 되었으며, 정부는 2006년 건설교통부 외청으로 행정중심복합도시건설청을 설립하였다. 12월에는 국민 공모를 통해 행정중심복합도시 도시 명칭을 '세종'으로 확정하였다.

그러나 이명박 정부의 출범 후, 이 대통령은 "국가백년대계를 위한 정책의 적당한 타협은 없다"며 세종특별자치시 건설을 재검토하겠다고 밝혔다. 정운찬 국무총리 내정자는 "원안대로 추진하지는 못할 것"이라고 발언하였다. 그러나 야당과 박근혜 한나라당 전 대표는 "세종시는 '국민과의 약속'이니 원안대로 정상적으로 추진해야 한다"고 주장해 여권 내에서도 이명박 정부와 충돌하였다. 권태신 국무총리실장은 "사실상 수도 분할에 따른 부작용을 방지하기 위해서도, 행정 중심에서 기업 중심으로 도시 개념을 바꾸어야 한다"고 말해 야당과 여당, 충청권의 강한 반발을 샀다.

12월에는 이명박 대통령의 행정수도건설 재검토에 반발하여 이완구 충청남도지사가 사퇴하였다. 2010년 1월 이명박 정부는 행정부처 이전 계획을 전면 백지화하고 세종특별자치시를 행정중심복합도시에서 교육 중심의 경제 도시로 전환한 '세종시 수정안'을 발표했다.

그러나 야당과 한나라당 박근혜 계는 수정안에 반발하며 원안대로 추진할 것을 주장하였다. 그럼에도 정부·여당은 이에 아랑곳하지 않고 세종시 수정안을 관철하려고 혈안이 되다시피 했다.

2009년 3월 27일 나는 충북도의회 본회의에서 5분 자유발언을 통해 "첨단의료복합단지 유치, 세종시 건설, 국제과학비즈니스벨트 조성, 청주공항 활성화 등 어느 것 하나 시원하게 추진되는 일이 없고, 큰 기대를 걸었던 기업도시와 혁신도시 건설도 정부의 수도권 규제해제 발표 이후 크게 주춤거리고 있어 도민들의 희망이 산산이 조각나고 있다"고 질타하고, "이제는 앉아서 결의문이나 채택하는 안일한 자세를 떨쳐버리고 모두 함께 똘똘 뭉쳐 궐기해야 한다"고 촉구했다.

8대 충북도의회 한나라당 원내대표를 맡고 있었던 나는 당시 중앙당 차원에서 행정도시수정안을 당론으로 채택하려는 움직임에 직접 동료 의원들과 함께 직접 상경해 한나라당 정몽준 대표를 만나서 싸늘한 충청도민의 민심을 전달하고 세종시 원안 추진을 촉구했다.

이때 단양이 지역구인 이범윤 부의장은 "민심이 천심 아니냐? 지역민 전체가 수정안을 반대하고 있고, 당 대표도 국회의원 재보궐선거에 와서 원안이 당론이라고 해놓고 불과 몇 달 사이에 당론을 변경하겠다고 하면 도의원들은 다 죽으라는 것이냐?"면서 정 대표에게 직격탄을 날렸다.

우리는 비공개로 면담을 진행한 후 국회 정론관에서 세종시 원안 추진이 절대다수 충북도민들의 요구임을 알리는 기자회견을 한 뒤 "우리의 뜻이 관철되지 않으면 탈당 등 중대결심을 하겠다"고 전체 한나라당 도의원 29명 중에서 23명이 서명한 명부를 전달했다.

그러자 충북비상대책위원회는 "이명박 정권이 국민을 속여 행정도시 백지화를 강행하고 있는 것에 대해 이대원 충북도의회 의장을 비롯한 한나라당 소속 충북도의원들이 집단으로 탈당을 결의하는 등 강력히 반발하고 나섰으니 나머지 도의회의원들과 기초의원들도 동참을 바란다"고 호소했다.

한편 행정도시 원안고수와 집단탈당에 서명한 한나라당 소속 도의원은 권광택, 김법기, 김인수, 김화수, 민경환, 박영웅, 박종갑, 심흥섭, 연만흠, 오용식, 이규완, 이기동, 이대원, 이범윤, 이언구, 이영복, 이종호, 임현, 장주식, 정윤숙, 조영재, 최재옥, 한창동. 이렇게 23명이었다. 충북도의원은 당시 정수 31명 중에서 민주당 2명을 제외한 29명이 한나라당 당적을 갖고 있었다.

여당 도의원들까지도 반발하면서 이명박 정부가 추진한 세종시 수정안은 결국 국회 본회의에서 부결되었다.

선거라는 것…

[어느 누구도 과거로 돌아가서 새롭게 시작할 수는 없지만 지금부터 시작해서 새로운 결말을 맺을 수는 있다]

– 카를 바르트 –

도의원 생활을 하는 동안 나는 충주호 관광과 수안보온천의 활성화 방안을 놓고 3차례에 걸쳐 토론회를 개최했다. 토론회를 하려면 최소 회당 5~6백만 원은 있어야 진행이 가능하다. 장소 임대는 물론, 주제발표자 섭외와 토론 및 사회 진행비용, 회의자료 제작, 관련자들에 대한 음식대접, 홍보비용 등이 필수적으로 수반되기 때문이다.

충주는 문화와 역사의 도시, 우륵의 숨결이 살아 숨 쉬는 예향의 도시이다. 도의원 시절 특히 내 고향 수안보의 경기가 침체되는 모습을 보고 안타까워 사비를 들여 온천관광 활성화 도모를 위한 토론회를 가졌다. 그리고 여기에서 수렴된 의견들을 종합적으로 진단해서 집행기관에 전달하고 주민들의 관광의식을 일깨우고, 나름대로 역할을 하려고 최선을 다했다.

충주에는 삼색온천이 있다. 수안보 알칼리온천, 문광 유황온천, 앙성 탄산온천이다. 동일권역에서 삼색온천이 나는 곳은 대한민국에서 오로지 한 곳, 충주 수안보온천뿐이다. 온천지역의 활성화는 충주지역의 경기 활성화에 결정적 역할을 할 수 있다. 그러나 온천문화의 변천으로 온천관광은 활성화되지 않고 있었다. 이를 돕기 위해 2007년부터 시작된 것이 대한민국 온천축제다.

그러자 전국에 온천이 있는 148개 시군구에서는 온천축제를 유치하려고 해마다 치열한 경쟁을 벌였다. 2007년 제1회 경북 울진축제에 이어, 2008년 제2회 강원도 속초축제가 열렸다는 이야기를 듣고 당시 김영호 행정안전부 차관을 찾아가 "2009년에 대한민국 온천축제가 충주 수안보에서 열릴 수 있도록 해 달라"고 유치작전을 벌였지만 아쉽게도 제3회 대한민국 온천축제는 부상 동래온천으로 결정됐다. 그러나 포기하지 않고 온천축제 유치신청을 한 결과 2010년 제4회 대한민국 온천축제는 충주 수안보에서 열리게 되었다.

'2010 대충청 방문의 해'를 맞아 10월 6일부터 10일까지 충주 수안보와 앙성온천 일원에서 열린 축제는 행정안전부와 충북도가 공동 주최하고, 충주시와 한국온천협회가 주관하는 행사로 웰빙문화 확산과 온천산업을 관광 자원화하여 지역경제 활성화를 도모하는데 의미를 두고 진행됐다.

충주 온천축제 기간 동안 온천수신제, 전국온천가요제, 온천체험 등 다양한 프로그램을 운영하고, 전국에서 가장 우수한 수질을 자랑하는 수안보(알칼리), 앙성(탄산), 문강(유황)의 삼색온천을 널리 알려 침체된 온천관광산업을 활성화하는 기폭제가 됐다.

제4회 대한민국 온천대축제를 계기로 충주는 건강과 휴양 등 레저문화를 함께 즐길 수 있는 온천관광의 메카로 더욱 발돋움했다. 이에 만족하지 않고 이번에는 세계온천포럼을 수안보에 유치하기 위해 내 나름대로 치밀한 계획을 세워 움직였다. 그러나 2010년 6·2 지방선거에서 아쉽게도 낙선하는 바람에 세계온천축제를 수안보에 유치하려는 노력은 물거품이 되고 말았다. 그러나 이때 정우택 지사로부터 3억 원을 지원받아 설치한 수안보온천 야외무대는 지금도 요긴하게 쓰이고 있다.

나는 제8대 도의원 역할을 잘했다고 자부하면서 9대 도의회에 다시 진출할 생각을 하고 있었다. 그런데 열심히 일한 것과 표심은 달라도 너무 달랐다. 4년 동안 누구보다도 열심히 의정활동을 했지만 유권자들의 표심은 의정활동과 무관해 보였다.

특히 충주 제2선거구는 선거가 시작되기 1개월 전까지도 상대 후보가 나타나지 않아 지역에서는 도의원 무투표 당선지역으로 예상하고 있었다. 그러나 그것은 착각이었다. 선거의 표심은 이미 우리가 예상치 않은 방향으로 흘러가고 있었다. 당시 이명박 대통령이 세종시를 행정도시 대신 기업도시인 국제과학비즈니스벨트로 바꾸려고 하면서 충북에서는 심한 역풍이 불고 있었다. 당시 도의회 원내대표직을 맡고 있던 나는 충북도민의 의지를 받들어 도의회 전체가 나서서 강력하게 세종시 원안사수를 외쳤다. 국회를 방문하고 한나라당 당사를 찾아간 자리에서는 정몽준 대표에게 탈당도 불사하겠다고 강력하게 항의하는 등 당론에 배치되는 일이지만 공천을 반납한다는 필사의 각오로 국제과학비즈니스벨트 반대운동에 앞장섰다. 그런 활동을 앞장서서 펼치고 출마했음에도 불구하고 도의원에 낙선된 것이다.

더욱이 당시 나의 경쟁자인 상대 후보는 우리지역에 살지도 않는 사람이었다. 서울에 살다가 선거 때만 되면 충주에 내려와서 활동을 하던 사람이었다. 그런 후보와 붙어 떨어졌기에 더욱 억울한 생각이 들었다. 화가나 다시는 출마하지 않겠다는 생각도 해보았다. 그땐 세상 사람들이 모두 다 적으로 보였다. 그야말로 하늘이 무너지는 고통이었다.

아들과 함께한 월악산 정상에서의 다짐

[어느 날 아침에 깨어보면 당신이 꼭 하고 싶었던 일들을 할 수 있는 시간이 없다는 것을 깨달을 것이다. 그러니 시작하라]

- 파울로 코엘료 -

낙선한 그 날 저녁 밤늦게 혼자 앉아 사무실에서 이 생각 저 생각을 하고 있는데 한 통의 전화가 걸려왔다. 미국 LA에 있는 아들 동석이었다.

"아빠 뭐해?"

"사무실에 앉아있다."

"떨어졌지!"

"내일은 뭐 할 거야?"

"뭘 하긴 이것저것 정리나 해야지!"

"알았어요."

이튿날에도 낙선인사 등 바쁜 일과를 보내다가 사무실에서 직원들과 대책을 논의했다. 그리고 혼자 남아서 이 생각 저 생각을 하고 있을 때였다. 놀랍게도 미국에 있어야 할 아들이 갑자기 사무실 문을 열고 들어오는 것이었다.

"너 어쩐 일이니?"

"가족이 제일 중요한 것 아냐? 아빠의 아픔이 나의 아픔인데 내가 아빠를 위로해드려야지."

그러면서 아들은 내 뒤로 와서 등을 꼭 껴안는 것이었다. 순간 뭐라고 표현할 수 없는 감격이 밀려왔다. 앉아서 이런저런 이야기를 듣다보니 아들이 어느새 어른이 다 되어 있었다.

"아빠! 우리 내일 산에 가요!"

이튿날 우리 가족 모두는 월악산으로 향했다.

정상에 도달하자 아들은 정상의 바위를 붙들고 앉아서 내게 말했다.

"아빠 이제 지나간 일은 다 잊어버려요. 이 자리에서 소리를 질러서 다 털어내고 새롭게 시작하세요!"

순간 내가 여기서 잘못 처신하면 아들보다 못한 사람이 되겠다는 생각이 들었다. 그동안 마음에 있던 응어리, 서운함, 아쉬움, 배신감을 털어내고 새로운 마음으로 새롭게 시작해야겠다는 생각이 들자 목청을 높여 소리를 지르기 시작했다.

"나는 다시 태어나겠다! 나는 다시 태어나겠다!"

그리고 정상 아래를 내려다보니 속이 다 후련해졌다. 다음날 아들은 "빨리 돌아가야 한다"면서 미국으로 떠났다. 그날 밤 나는 아들에게 부끄럽지 않은 아빠가 되기 위해 새롭게 출발하겠다는 결심을 하고 세 가지 목표를 세웠다.

첫째, 다시 도의원에 도전하자. **둘째,** 그러기 위해서 더 많은 내면의 실력을 쌓자. **셋째,** 내가 하고 싶은 일을 하자.

새로운 목표가 생기자 더 겸손한 마음으로, 더 배운다는 자세로, 지금보다 열심히 살기 위해 최선을 다하겠다고 다짐했다. 그리고 새롭게 변신하기로 굳게 마음을 먹었다.

이언구! 힘내라!

(아래의 글은 낙선한 나를 위로하기 위해 미국에서 급작스레 귀국했던 아들 동석이가 당시의 심정을 정리해서 쓴 글입니다.)

2010년 6월 2일 오후 12시. 나는 뉴욕에서 애타는 마음으로 지방선거 결과를 지켜보고 있었다. 어이쿠! 아버지가 낙선을 하셨다. 오직 머릿속에는 한국으로 가야겠다는 생각이 가득했다. 나는 다음 날인 3일 아침 한국행 비행기에 몸을 실었다. 이번 모국 방문길은 여느 때와 다르게 반갑지 않았다. 또 다른 하루가 지나서야 충주에 도착할 수 있었다. 나는 이번 모국 방문을 그 누구에게도 알리지 않았다.

나는 다시 태어나겠다

아버지의 사무실에 도착했다. 그리고는 아버지께 달려갔다. 아버지는 의자에 멀뚱히 앉아 아무것도 하고 계시지 않았다. 마치 세상 전부를 잃은 듯 마냥. 나의 갑작스런 등장에 아버지는 "내가 꿈을 꾸고 있는 것이냐"며 대답하셨다.

나는 아무 말 없이 꼭 껴안아 드렸다. 아버지는 눈물을 보이셨다.

그렇다. 아버지는 세상에서 가장 위대한 존재요, 나에게는 그저 바라만 봐도 세상에서 가장 거대한 사람이었다. 하지만 아버지는 세 살 먹은 아이처럼 흐느끼고 계셨다. 아버지를 다시 봤다. 너무나 가슴이 아팠다. 아버지도 역시 한 부모의 자식처럼 울고 계셨다.

아버지와 아들, 아버지가 아들을 붙잡고 울고 있는 모습은 상상할 수 없을 것이다. 그러나 우리는 그것으로 인해 더욱 더 특별한 관계로 발전했다.

한국 방문 이틀 째. 부모님과 나는 월악산 산행에 올랐다. 그저 어디로 떠나고 싶었다. 5시간 정도 올랐을까? 월악산 영봉에 도착했다. 우리는 크게 외쳤다.

"다시 일어설 수 있다." "이언구! 힘내라!"

표정만 봐도 가족은 느낄 수 있다. 아버지는 약한 분이 아니셨다. 그렇다. 울고 있던 아버지의 모습은 진심에서 우러나오는 가족에 대한 반성이었다.

강동대학교에 입학하다

[배움의 가치와 중요성은 매우 크다. 그럼에도 배움을 게을리한다면 그것은 자신을 무시하는 행위이다]

- 김옥림 -

선거에서 떨어진 이듬해인 2011년 3월 충주에서 그리 멀지 않은 음성군 감곡면 강동대학교 행정학과에 입학해 나이 어린 학생들과 함께 수업을 듣기 시작했다. 충주에서 강동대학교까지는 차량으로 40분 정도 걸린다. 여러 가지 할 일들도 많았지만 더 많은 내면의 실력을 쌓기 위해 내린 결정이었다. 동료 학생들은 대부분 나보다 어렸지만 나보다 나이가 많은 여학생도 있었다. 대부분 직장을 다니면서 주경야독하는 학생들이어서 배우려는 의욕들이 대단했다. 출석률은 90% 이상이었고, 학구열도 뛰어났다. 수업은 저녁 6시에 시작하여 늦은 밤까지 진행되었다. 대학에서 공부하는 동안 오히려 젊은 학생들에게 배울 것이 더 많다는 생각이 들었다.

얼마 전 세계 최고의 전자상거래업체로 부상한 중국 알리바바 그룹 창업주 마윈(馬雲 · 51) 회장이 한국에 왔을 때 KBS <글로벌 경제, 아시아 시대를 열다> 프로그램에 출연해서 연령대별 성공을 조언한 내용이 화제가 된 적이 있다.

10대라면 열심히 공부하고, 기업인이 되려면 경험을 배워나가야 한다.

20대라면 누군가를 따르라고 했다. 대기업보다는 중소기업에서 일하면서 꿈과 열정을 배우고 동시에 여러 일을 하는 법이 필요하다.

30대라면 명확하게 생각하고 스스로를 위해 일해야 한다.

40대라면 새로운 분야에 도전하지 말고, 본인이 잘하는 일에 전념해야 한다. 이유는 너무 늦었기 때문에 성공할 수도 있겠지만 실패 가능성이 너무 크기 때문이다.

50대라면 젊은 사람들의 실력이 더 좋기 때문에 젊은 사람들을 밀어주고, 그들에게 의지하고 투자해서 잘 키워내야 한다.

60대 이상이라면 본인을 위해 시간을 투자하라고 했다. 이를테면 휴양지에 가서 여생을 즐기라는 거였다.

연령대별 조언을 해준 것인데 상당수 그의 주장들이 내 가슴에 와 닿았다.

나는 우리 사회에도 젊은이들이 받쳐주는 힘이 대단하다는 것을 느낀다. 그리고 젊은이들의 힘이 삶의 활력을 가져다주는 충분한 기폭제가 되고 있다고 생각한다. 나는 아들에게서도 깨닫는 것이 있고, 강동대학교 학생들과의 모임과 만남을 통해서도 오히려 어른인 내가 배우는 것이 더 많았다.

대학에서 학점을 취득하려면 반드시 필수코스인 현장실습을 하게 되어 있다. 특히 사회복지 과목은 현장실습과 함께 40시간 동안 봉사활동을 한다. 내가 봉사활동을 위해 찾아간 집은 두 어르신이 누워있었다. 바깥어른은 아예 꼼짝도 못 한다. 어르신과 함께 많은 시간을 같이 보냈다. 이런 봉사활동을 하는 동안 한때 잊고 살았던 나 자신을 돌아보게 되었다. 바쁘게, 앞만 바라보고 살았던 내게는 참으로 소중한 시간이었다. 집짓기, 농촌의 고추 따기 등 봉사활동을 하는 동안 마음은 30~40년 전으로 돌아가 어릴 적에 했던 소중한 추억들을 되새겨보는 시간도 가졌다.

사람이 모이는 곳에는 어디든 갈등이 있기 마련이다. 학생들과 더불어 봉사활동을 하고 사회활동을 하는 과정에도 갈등은 생겼다. 새로운 인간관계가 시작되다 보니 각기 다른 사람들이 각기 다른 의사를 표출한다. 살아온 삶의 방식과 생활양식이 다르니 대학교라는 조직 속에서도 서로 충돌하지 않도록 조율을 해나가야 한다. 행정학과 구성원 20명의 의견은 모두 제각각이다. 나름대로 처한 환경과 살아온 방식이 다른 까닭이다.

이를테면 수련회(MT)를 떠나려 해도 5~6일은 토론을 해야 결론이 도출됐다. 이 과정이 힘은 들었지만 배운 것도 많다. 일련의 과정을 통해서 화합하고 한마음 되는 게 쉽진 않았지만 충분한 토론의 문화가 형성되는 순간이었다. 리더십을 발휘하는 것도 부수적인 배움으로 나타났다. 여기에는 교수의 영향력도 전혀 미치지 못했는데 이런 경험도 내겐 많은 도움이 되었다.

대학에 다니는 동안 나는 학업, 학력보다도 더 큰 사회를 보듬는 중요한 역할을 배울 수 있었다. 그동안 고등학교를 졸업하고, 군대를 다녀오고, 결혼하고, 자식들을 낳고, 직장과 사회생활을 하면서 앞만 보고 살아왔다. 그러나 뒤늦게 학교에 다니고 봉사활동 시간이 주어지니, 낙선한 후의 시간은 오히려 나를 뒤돌아보게 되고, 새로운 것을 느끼고, 충전하는 소중한 시간이 되었다.

인간의 삶은 언제라도 불시착할 가능성이 상존한다. 생각해보면 선거에 출마한 사람들은 반드시 떨어져 봐야 새로운 동력(?)을 얻는 기회를 갖게 된다는 것을 절실히 느꼈다.

'절망을 희망으로 바꾼 토크 쇼의 여왕' 미국의 명사회자 오프라

윈프리는 '인생에 실패는 없다. 실패는 단지 우리의 인생을 또 다른 방향으로 이끄는 삶'이라고 정의를 내렸다. 역설적이긴 하지만 실패 있는 인생을 사는 건, 많은 것을 느끼고 생각하고 되돌아보고 곱씹어볼 수 있는 배움의 시간이 되었다.

강동대학교를 졸업하자 바로 수원국제디지털대학교 3학년에 편입해서 졸업을 하고, 2015년 다시 건국대학교 사회과학대학원에 진학했다. 도의회의장이 된 이후부터는 개인 시간을 낼 수 없어 강의를 듣지 못하고 있다. 그러나 도의회의장의 임기가 마무리되면 다시 대학원까지 마칠 계획이다.

마침내 꿈을 이룬 웅변대회 대통령상

[대중연설은 자신을 홍보하는 아주 좋은 방법이다. 대중연설을 통해 당신의 실력을 과시하고 새로운 사람을 만날 수 있기 때문이다. 게다가 연설내용이 좋으면 곧바로 그 분야의 전문가로 인정받게 되어 성공을 향한 발걸음도 빨라지게 된다]

— 앤드류 우드 —

남편이 자주 아내한테 져주니깐 어느 날 아내가 남편한테 물었다.

"여보 내가 잘못한 걸 알면서도 왜 자꾸 나한테 져줍니까?"

남편이 대답한다.

"당신은 내 사람이요. 내가 당신과 싸워 이겨서 뭐하겠소? 내가 당신과 싸워 이기면 당신을 잃는 것이고, 당신을 잃으면 내가 진 것 아닙니까?"

세상을 살아가면서 관계를 유지하는 데에는 논리적인 설득이 오히려 독이 될 때가 있다. 누군가에게 내 생각을 이해시키려고 할 때 사람들은 열변을 토해낸다. 그런데 웅변은 은이요, 침묵은 금이라고 한다. 그래서 설득하고 싶다면 오히려 침묵하라고 한다. 왜 이런 말을 하는 것일까?

말을 배우는 데는 2년이 걸리지만, 침묵을 배우는 데는 60년이 걸린다고 한다. 그런 면에서는 웅변을 배우는 것보다 경청을 배우는 게 더 성공하는 지름길이 아닌가 하는 생각이 든다.

나는 초등학교 때 교장 선생님의 추천을 받아 웅변을 시작했다. 덕분에 중고교 시절 대회에 나가 상도 많이 타봤다. 웅변하는 사람들이 바라는 소망이 있다. 바로 대통령상을 받는 것이다. 물론 다른 분야도 마찬가지일 거라는 생각이 든다. 음악이든 미술이든 최고의 경지에 이른 사람에게 수여되는 상이 대통령상이다.

특히 학생 시절에 대통령상을 탄다는 것은 매우 힘든 일이다. 대통령상은 대부분 일반 성인들에게 돌아가는 것이 관례처럼 되어 있기 때문이다. 그런데 뒤늦게 갑자기 웅변대회에서 대통령상을 받고 싶다는 욕망이 되살아났다. 이번 기회에 다시 30~40년 전의 시절로 돌아가서 웅변대회 대통령상에 도전하는 꿈을 이뤄보기로 했다. 그러던 중 2012년 인도네시아 자카르타에서 세계한국어웅변대회가 열리게 된다는 이야기를 듣고 이 대회에 출전신청서를 제출했다.

주최 측 한국웅변협회(총재 정갑윤 국회부의장)에 문의한 결과 국내 예선을 거친 초중고, 일반 30여 명의 선수들이 인도네시아 자카르타에 있는 한국어학당에서 열리는 세계웅변대회에 참석해서 자웅을 겨룬다는 것이었다. 소식을 듣고 곧바로 예선을 거쳐 충북대표로 참가했다.

전 세계에 한국어를 보급하는 교사들과 전국 각지에서 예선전을 거쳐 선발된 각 시도 대표들, 세계 20여개 국에서 선발된 한국어웅변대회 출전자 등 80여 명이 최고의 상인 대통령상을 놓고 실력을 겨뤘다.

나는 '한국어를 K-Speech화로'라는 주제를 가지고 출전했다. K-POP이 전 세계적으로 주목을 받기 시작할 무렵이었다. '한국의 K-POP 음악이 세계를 제패하는 시대적 흐름에 발맞춰 한국의 웅변도 K-Speech를 발판으로 세계열풍에 함께 나가자'는 내용을 7분 동안 나의 혼과 열정을 담아 토해냈다.

마지막 결선에서 전북 출신 선수와 겨룬 끝에 영예의 대통령상을 받게 됐다. 심사위원 측은 아마도 내 원고가 현시대의 흐름과 조화를 이루면서 K-POP이 전 세계를 휩쓸 듯 K-Speech도 세계를 휩쓸자는 내용이 시의적절하다고 판단한 것 같았다.

k-speech의 문화현상을 만들자

(아래의 글은 웅변으로 대통령상을 받은 연설문입니다)

조앤 롤링이 쓴 『해리포터』 시리즈가 소설과 영화로 제작되면서 전 세계 인류를 흥분의 도가니로 몰아 넣었습니다.

65개국 언어로 번역된 『해리포터』 시리즈 책이 4억5천만 부나 팔리면서 서점과 인쇄소, 운송, 영화제작 등 사회 전반에 큰 영향을 주었는데 이것을 언론과 학자들은 '해리포터 현상'이라고 말합니다.

그런데 지난해부터 우리 K-Pop 스타들이 '해리포터 현상'보다는 작은 규모이지만 대중가요의 독특한 음률과 율동으로 지구촌 청소년들을 흥분시키며 '한류 문화현상'을 만들어 내고 있습니다. 일본과 중국 등 아시아인의 마음을 사로잡아 눈물을 흘리게 했던 우리의 드라마와 K-Pop이 이제 아시아를 넘어 유럽과 남미등 지구촌 전체를 뒤흔들고 있습니다. 한류 스타들이 가는 곳마다 열성 팬들과 청소년들이 열광하고 있습니다.

이처럼 감동으로 마음을 움직이는 한국의 드라마, 아름다운 미모, 정열적이고 친근한 외국어를 다양하게 구사하는 K-Pop 스타들의 근본이 어디에 있습니까?

바로 한글에 있습니다. 소리글자로써 감동을 표현할 수 있는 한국어가 있기에 아름다운 우리말을 그대로 담아내는 독특한 드라마가 있고 음률과 율동으로 감동을 주는 K-Pop이 있다고 저는 생각하는데 여러분께서 공감하시면 뜨거운 박수 부탁드립니다.

존경하는 여러분!

그동안 우리 한국의 경제성장은 세계의 주목을 받아 왔습니다, 무역규모 세계 9위, 자동차 생산 세계 6위, 세계최고 수준의 인터넷과 휴대전화, 자연환경 등 여러 면에서 다른 나라의 부러움을 사고 있습니다.

이처럼 한국의 매력이 알려지자 우리의 음식을 먹고 자연환경을 접하며 의료 제험을 하기 위해 우리나라를 찾는 외국인이 점점 늘어나고 있습니다. 외국인 관광객 1,000만 명 시대가 도래한 것입니다.

오늘 이 자리에도 많은 분들이 참석하셨지만 "안녕하세요", "감사합니다", "사랑해요"라고 말을 걸어오는 외국인이 늘어나고 있습니다. 우리 드라마와 노래만을 들었던 외국인들이 우리에게 사랑의 언어를 속삭이고 있는 것입니다. 사랑의 속삭임! 얼마나 달콤한 말입니까? 그 달콤한 말을 하기위해 한국어를 배우는 외국인들이 늘고 있으며 그 덕분에 한국인의 은근과 끈기, 독창성을 자랑하는 문화유산의 가치는 더욱 높아지고 있습니다. 이제 경제성장으로 이룬 국가 경쟁력을 앞세워 우수한 우리의 문화유산을 지구촌 구석구석에 알려야 합니다.

드라마와 영화, 대중가요는 물론 한식과 효와 이웃사랑의 마음 등 우리가 가진 장점을 국제적인 문화교류를 통해 알려야 합니다. 그리하여 외국인들이 한국의 대중문화에는 마음을 움직이는 원초적인 감동이 있음을 느끼고 "대한민국 최고야!"를 외칠 때 '한류문화의 현상'은 반드시 온다고 강력히 주장합니다.

여러분!

지구촌에는 영어와 중국어 등 수백 개의 언어가 있습니다.

그 중 한국어는 유네스코가 인정한 세계 13위의 독창적이고 아름다운 언어로 친절하지 않은 중국어, 배울수록 어려운 영어, 자부심으로만 가득찬 프랑스어와는 달리 똑같은 낱말을 사용하더라도 음의 높낮이, 크기, 울림, 속도, 숨 쉬는 곳에 따라 듣는 사람의 느낌과 감동이 다릅니다.

이런 점을 잘 이해하고 조화롭게 구사하여 대중을 설득하는 말의 표현술이 바로 웅변이며 이제 우리의 웅변은 한국인들의 독특한 대중 설득 문화가 되었습니다.

우리들이 영어를 처음 배울 때 뜻을 모르면서 팝송을 즐겨 불렀듯이 지금 K-Pop스타들에게 푹 빠져있는 지구촌 청소년들이 한국어의 뜻도 모르면서 우리 노래를 따라 부르고 있습니다. K-Pop을 K-Pop으로 끝내서는 안 됩니다.

한국 대중가요를 K-Pop이라 부르듯 울림이 가득한 한국의 웅변을 K-speech라 부르자고 강력히 제안합니다.

이 같은 노력이 줄기차게 이루어질 때 지구촌에 한국어는 보급되고 K-speech 문화현상도 자리매김 할 것이라고 자신있게 말씀드립니다.

감 사 합 니 다.

웅변대회 대통령상은 내게 또 하나의 기쁨을 안겨주었다. 동시에 새로운 희망과 또 다른 파랑새를 찾아 나서는 도전정신을 다시금 일깨워준 셈이다. 학생 시절의 꿈을 이루었다는 사실에 나 자신도 무척 흥분이 되었다.

이는 희망을 잃지 않고 끝까지 도전하는 용기, 변함없는 무한신뢰를 자신에게 보내며 열심히 노력한 결과 얻은 보람의 열매라고 생각한다. 60세가 되어 받은 웅변대회 대통령상은 새로운 삶을 개척하고, 희망의 끈을 다잡는 계기가 되었다. 또한 웅변대회를 통해 얻은 자신감과 열정은 내 인생을 새롭게 출발하는 중요한 기폭제가 되었다.

누구나 마음속에 새장을 품고 있으면 언젠가는 그 안에 담을 무엇인가를 갖기 마련이다. 나 역시도 순간순간 늘 최선을 다해 살다 보면, 생각하는 게 반드시 이루어진다는 것을 실제로 체험하는 계기가 되었다. 웅변은 내게 교훈을 주었고, 기쁨을 주었으며, 행동을 하게 만들었다. 대통령상을 받고 돌아오는 비행기 안에서 나는 또 다른 꿈을 꾸었다.

올바른 시간에, 올바른 환경에서, 올바른 사람들이, 올바른 생각과 올바른 이유로, 합쳐진다면 올바른 결과를 얻을 수 있을 것이라는 생각이 들었다. 그리고 그런 범주 속에서 내가 잘할 수 있는 것이 무엇이 있을까 하고 곰곰이 생각해보는 성찰의 시간을 갖던 중 '대한민국에서 최고가 되는 명강사가 되겠다'는 새로운 꿈에 도전하기로 했다.

강사양성기관, 성공자치연구소의 문을 두드리다

[좋은 인연이란 시작이 좋은 인연이 아니라 끝이 좋은 인연입니다. 나와 상관없이 시작되었어도, 인연을 어떻게 마무리하는가는 나 자신에게 달렸기 때문입니다]

　　　　　　　　　- 혜민 스님, 『멈추면 비로소 보이는 것들』 중에서 -

"그래! 여러 사람들에게 진솔한 내 이야기를 들려주면서 긍정적인 에너지를 전달해보자!"

명강사가 되겠다는 새로운 목표를 수립하자 SNS를 통해 눈여겨보았던 사단법인 성공자치연구소 정문섭 소장이 떠올랐다. 정 소장은 내가 중부매일 충주 주재기자 시절에 부장으로 모셨던 선배로 논설위원으로 퇴임 후 사단법인을 설립해 교육, 연구용역, 강사양성 사업을 하고 있었다. 정 소장과 이런저런 이야기를 나누며 상담을 하다가 명강사 양성교육이 시작된다는 이야기를 듣고 곧바로 교육과정을 신청했다.

여기서 느낀 건, 삶의 인연은 참으로 질기고도 소중하다는 것이었다. 한 번의 잘못된 만남은 인생을 패배로 이끌 수도 있지만, 잘된 만남은 한 인간을 변화시키는 데 결정적 역할을 한다. 만남을 통해서 우리는 만남의 소중함을 깨닫고, 서로 성장하게 된다. 따라서 서로에게 정감을 주고, 신뢰가 가는 만남을 이어가려면 변함없는 노력을 기울여야 한다는 생각이 들었다.

정소장과 다시 만나면서 평소 인간적인 만남을 소중하게 생각하고 절대로 남이 배신하기 전에 먼저 배신하지 말아야 한다는 신념을 갖게 됐다. 부모님께 들은 말씀도 떠올랐다. 내가 다른 사람에게 베풀었을 때 그 사람이 나에게 그만한 것을 베풀기를 바라지 않는 조건 없는 애정을 가지고 살아야 한다는 말씀이었다. 아주 작은 만남도 그 만남이 먼 훗날 나에게 무엇으로 다가올지 상상할 수 없기에 누군가를 만나도 최선을 다하고 인맥을 소중히 다뤄야 한다는 것을 느꼈다.

3개월 과정의 명강사아카데미 과정에 등록하면서 함께 참여한 동기생들과 명강사가 되기 위한 열정을 불살랐다. 이때도 대학교에 다니랴, 주유소 일을 하랴 눈코 뜰 새 없이 바쁜 나날이었다. 그러나 명강사가 되겠다는 일념이 있었기에 명강사 교육이 있는 날은 충주에서 청주까지 빠지지 않고 참여했다.

명강사 과정을 수강하는 동안에도 선택에 후회하는 일이 없도록 강의발표를 위해 주어진 과정에 최선의 노력을 기울였다. 또한 모자라는 것을 보충하기 위해 서울에서 열리는 각종 강연도 부지런히 찾아다녔다.

명강사아카데미 교육이 끝난 후에는 연구소 측에 강의할 곳을 소개해 달라고 적극적으로 요청했다. 덕분에 연구소의 소개로 오창고등학교와 충북자치연수원, 충북도청에서 진행된 청풍아카데미, 그리고 음성 반기문아카데미 등의 강사로 초빙되어 실전강연의 기회를 얻게 되었다. 지난해에는 모교인 강동대학교에 가서 강단에 서는 기쁨도 누렸다.

강사는 모든 악조건을 이겨내고 청중과 하나가 되어야 한다. 청중의 마음에 감동을 불러일으키지 못한다면 좋은 강의라고 할 수 없다.

명강사 교육은 지난해 6월 도의원 선거에 도전하는 데에도 큰 보탬이 됐다.

특히 제10대 충청북도의장으로서의 임무를 맡게 되면서 나는 일방적인 정
보 전달이나 의견 표명보다는 분야와 계층, 지역을 망라한 끊임없이
소통하는 충청북도의회가 되고자 애썼다. 지금 우리 사회가 그
토록 '소통, 소통'하고 노래를 부르다시피 강조하는 이유
또한 가장 부족한 것이 '소통'임을 반증해주는 셈
이다.

속시원

하게

살자

4부

"도민행복으로 이어지는 '소통'"

꿈꾸던 충북도의회의장에 당선되다

[꿈이 실현되지 않는 원인은 그 바람이 비현실적이기 때문이 아니라, 그 바람을 실현하고자 하는 의지와 노력이 부족했기 때문이다]

– 다케우치 히토시 –

2014년 새해가 밝아오면서 6월 충주시 제2선거구 새누리당 후보로 출마하겠다는 의지를 재삼 다졌다. 10대 도의회에 출마해서 반드시 당선되어 도의회의장에 도전하겠다는 꿈을 갖고 선거에 출마했다.

나는 지난 4년간 기회가 있을 때마다 도의회에 진출하면 반드시 의장에 도전하겠다는 꿈을 만나는 사람들에게 이야기하고 다녔다. 이 꿈을 실현하기 위해 10대 도의원 선거에서 최선을 다했다. 아픔이 있었기에 더 열심히 할 수 있었고, 떨어졌던 사연이 있었기에 더욱 새롭게 변화할 수 있었다. 덕분에 이런 내 모습을 바라본 많은 시민은 나를 압도적인 표차로 당선시켜 주었다.

6·4 지방선거에서 당선된 다음 날인 6월 5일부터 나는 동료 도의원들을 만나러 다녔다. 그리고 이들에게 8대 때 내가 했던 도의원 활동을 설명하고 "정말로 멋진 도의회의장이 될 테니 적극적으로 도와달라"면서 도의회의장 역할을 확실히 할 수 있다는 이미지를 심어주고자 최선을 다했다.

충북도의회의장은 그동안 청주 지역에서 맡는 것이 관례가 되다시피 했다. 이유인즉 청주지역 도의원이 14명이나 되고, 도의회의장이 되려면 16표만 얻으면 가능했다. 따라서 충주 출신인 내가 도의회의장이 된다는 것은 누가 뭐라 해도 불리하기 짝이 없는 게임이 분명했다.

그럼에도 새누리당의 당내 투표결과 청주 출신의 김양희 의원을 누르고 새누리당 도의장 후보로 본선에 진출했다. 이어 열린 본회의 투표결과 전체 31의석 중에서 29명이 찬성을 해서 제10대 충청북도의회 전반기 의장으로 선출되었다.

어떤 말을 만 번 이상 되풀이하면 그 일은 미래에 반드시 이루어진다고 한다. '위대한 단순'을 끊임없이 반복하다 보면 성공의 열매를 수확할 수 있는 것과 마찬가지다. 나 역시 절실히 원하면 이루어진다는 평범한 진리를 의장 당선을 통해서 확인할 수 있었다. 일을 도모할 때는 더욱 절실히 원하고, 최선을 다해야 이루어진다는 경험을 통해 앞으로 펼쳐질 내 인생에도 값진 교훈으로 작용하게 될 것이다.

안타까운 제10대 도의회 전반기 원구성

[갈등은 인간의 보편특성이지만 갈등을 해소하려는 노력 또한 인간의 보편특성이다]

                                                          - 스티븐 핑커 -

≪잘못 끼운 첫 단추≫

일조징주강무개	日照澄州江霧開
도금여반만강외	淘金女伴滿江隈
미인수식후왕인	美人首飾侯王印
진시사중낭저래	盡是沙中浪底來

맑은 모래톱에 해 비치니 강 안개 걷히고
금 이는 여인네는 물굽이에 가득하다.
미인의 머리 장식 후왕인은
모두 물결 아래 모래 속에서 오는구나.

당나라 때 유우석(劉禹錫, 772~842)이 쓴 낭도사(浪淘沙)라는 칠언절구 형태의 시(詩)다. 금을 얻고자 하는 사람은 갖고 싶다는 생각만으로는 얻을 수 없다. 행동이 따라야 하고, 그 행동은 끊임없이 지속적이어야 한다. 금을 캐러 간 사람이 본분을 잊고 발아래 모래알이 빠져나가는 것에 취해 시간을 보낸다면 목적과는 딴판이 되고 만다. 모래 속에 자신이 추구하는 금이 들어 있다는 사실을 명심하고 반복해야 금을 얻을 수 있다는 의미를 담고 있는 시다.

목표를 이루기까지 천 번이고 만 번이고 흔들려도 결코 멈추지 않고 끝까지 노력하려면 그 얼마나 고생스럽겠는가! 그러나 모래를 다 씻어내야 비로소 황금을 볼 수 있듯이, 멈춤 없이 시도하고, 될 때까지 목표를 관철했어야 했는데, 나는 그렇게 하지 못했다.

제10대 충북도의회 의장으로 취임한 후 지금까지 가장 후회되고 안타까워하는 일이 있다. 바로 전반기의회 원구성에 대한 아쉬움이다.

도의원의 임기는 4년인데 2년 단위로 전반기와 후반기로 나뉜다. 전반기와 후반기에는 도의회를 구성하는 의장, 부의장, 그리고 상임위원을 재선출하여 원을 구성하도록 정해져 있다. 도의원은 지방선거 때 주민투표로 선출되는데 무소속 의원들도 있지만, 당적을 가진 의원이 대부분이다. 정치 상황이나 관심 이슈에 따라 여·야당 소속의 의석수 차이가 생긴다. 다수당과 소수당이 생기는 것이다. 이는 전적으로 유권자들이 어느 정당을 지지하느냐에 따라 결정된다.

도의회의 원활한 운영을 위해 원구성은 중요하다. 의정활동 의사소통과 의원들을 잘 조직해야 하기 때문이다. 의원들의 당적에 무관하게 도의회의장은 전체 의원을 다 포용해야 한다. 하지만 소속정당의 당론을 따르거나, 도정을 보는 시각차이가 어쩔 수 없이 존재하기에 여야 대립을 최소화하는 선에서 의장, 부의장, 상임위원 등을 협의에 의해 원만히 배분하여 선출해야 한다.

원구성을 놓고 여야 간 대립이 첨예해지자 "제10대 충북도의회가 반쪽으로 개원하는 것 아니냐?" 하는 우려가 쏟아졌다. 다행히 새정연 의원들이 모두 등원하여 7일 10대 도의회 개원식에 앞서 원구성을 위한 의장단 선출에 들어갔다. 그리고 단독 출마한 나를 전반기 의장으로 선출했다.

하지만 새정연 간사인 김영주 의원이 의사진행 발언을 통해 "여야합의가 이뤄지지 않은 상황에서 원구성을 하는 것은 문제"라며, 정회를 요청하면서 분위기는 일순간에 얼어붙었다. 결국 정회까지 하면서 합의점을 찾으려 했으나 실패했다. 이튿날에도 원만한 원구성을 하고자 여러 차례 정회하면서 인내를 가지고 기다렸으나, 새정연 의원들이 본회의장으로 돌아오지 않았다. 차질 없는 의사진행과 향후 의정활동을 위해 할 수 없이 본회의를 열어 부의장 2명과 상임위원장 6명에 새누리당 의원을 선출했다.

원구성 과정이 매끄럽지 못해 도민에게 송구한 마음으로 자책하던 어느 날, 선배 의원으로부터 "새정연 의원들의 자리를 남겨 놓고 원구성을 마무리하지 그랬느냐?"는 전화를 받았다. 여야가 합의를 통해 알을 처리해 나가는 것이 아니라, 갈등과 대립으로의 모습으로만 도의회가 비치고 있다고 생각하니 선배의 조언이 더욱 뼈저리게 다가왔다.

≪갈등은 있어도 계속 대화하며 함께 가야≫

내가 처음 등단했던 8대 도의회 시절에는 정수 31명 중에서 29명이 한나라당 당적을 갖고 있었고, 민주당은 2명에 불과했다. 4년 후인 9대 도의회 때에는 세종시 수정안을 비롯한 각종 역풍이 불면서 새정치민주연합이 25석, 새누리당이 5석, 통합진보당 1석으로 구도가 완전히 뒤바뀌었다. 그러다가 10대 충북도의회에서는 새누리당 21석, 새정치민주연합 10석으로 또다시 역전되었다.

돌이켜 보면 제8대 도의회 시절에는 한나라당 의원이 다수를 차지해 열린우리당 의원들이 온갖 설움을 받았다. 그 후 제9대에 들어서는 야당이면서도 민주당이 의회 다수당이 되어 새누리당이 맥을 못 추고 분을 삭여야 했다. 그리고 제10대 도의회에 들어서는 다시 새누리당이 다수당이 된 것이다.

도의회의장에게 요구하는 양쪽의 주문은 180도 다를 수밖에 없다. 지난 도의회 때 설움을 겪은 새누리당 도의원들은 이번 기회에 확실하게 다수당의 힘을 보여주자고 주문한다. 반면 소수당으로 전락한 새정치연합은 소속 당 도의원 인원수에 따른 적정 지분과 배려를 요구하며 다소 과도한 조건을 내걸었다.

제10대 도의회도 의석수로 보면 다수당이나 소수당이나 구성 수가 절대적이지 않아 갈등의 소리는 더 잘 들릴 수밖에 없는 구조이다. 그렇다 하더라도 여야 의원들은 의정활동만큼은 여야 구분 없이 초당적 협력으로 도민의 행복과 충북의 발전을 위해 혼신의 힘을 다해 일하는 모습을 보여 줘야 마땅하다.

정치의 근본은 신뢰다. 신뢰가 무너지고 감정이 어긋나 있는 사람에게 셈법은 아무런 의미가 없다. 도민으로부터 신뢰를 받지 못하면 의회의 힘은 작동하지 않는다. 신뢰 없이는 아무것도 세울 수 없다는 '무신불립(無信不立)'의 의미를 도의원들은 가슴에 새겨야 한다.

시민단체들은 "10대 충북도의회가 출범하자마자 원구성을 두고 대립하다 끝내 합의를 도출하지 못하고 새누리당이 의장, 부의장, 상임위원장을 싹쓸이하는 초유의 사태가 발생했다"며 "민주주의의 원칙인 토론과 협상은 무시한 채 다수당이 횡포만 부리고 있다"고 비판했다. 맞는 말이다. 갈등과 대립의 모습을 보여주는 악순환이 되풀이되어서는 안 된다. 그러나 모든 것은 상대가 있게 마련이다. 집행부를 견제하고 감시하면서 주민들의 뜻을 도정에 반영하는 것은 도의원 모두의 역할이다. 새정치연합도 행정부가 새정치연합 소속이라고 해서 집권 행정부에 대한 감시와 견제를 게을리해서는 아니 된다. 도의회 원구성은 전·후반기로 나눠어 있다.

제10대 후반기 원구성에서는 양보와 배려를 실천하여 화합하는 도의회로 더욱 거듭나야 할 것이다. 전반기의 실수와 경험을 거울삼아 보다 성숙한 의정활동으로 도민의 신뢰와 사랑을 받는 의회가 되도록 다수당과 소수당 의원 모두 노력하는 것이 제10대 도의원들의 소명이라고 생각한다.

도의회의원의 역할

[국가권력은 국민의 평화와 안전, 공공복지 이외의 다른 목적을 위해 사용되지 말아야 한다]

– 로크 –

도의회의 역할은 참으로 막중하다. 특히 지방자치에 대한 주민들의 욕구가 커지면 커질수록 지방의회의 역할은 더욱 중요해질 수밖에 없다. 집행부를 감시하고 국민의 피와 땀인 세금이 제대로 사용되고 있는지를 철저하게 감시하고 감독하는 막중한 임무를 수행하는 것이 도의회의 기본 역할이기 때문이다.

도의원은 지방자치법에 따라 주민선거를 통해 선출되며, 지방자치단체의 조례를 제정하고, 지방자치단체의 주요정책에 대한 의사를 결정해 주며, 집행기관이 편성, 제출한 예산을 심의 확정하고, 의회에서 결정해준 대로 단체장이 업무를 집행하는지 감시 역할을 해야 한다.

그러나 현실에서는 여러 가지 제약들로 인해 본연의 역할을 못하고 있다. 도의원들이 역량과 자질이 부족해서 제대로 역할을 못하는 부분도 있을 것이다. 여기에 여러 가지 구조적인 문제점들도 도의회의 정상적인 활동에 걸림돌로 작용하고 있다.

이 중에서도 가장 큰 걸림돌은 절름발이 지방자치라는 구조적 모순에서 찾을 수 있다. 오늘날 지방자치의 문제점은 중앙정부가 모든 권한을 갖고 그 권한을 분산시키려 하지 않는 데에서 기인한다. 가장 중요한 문제점으로 예산권을 들 수 있다.

우리나라는 중앙정부와 지방정부의 예산이 6대4 비율로 나눠진다. 반면에 선진국들은 중앙정부와 지방정부의 예산이 4대6 또는 3대7로 나뉜다. 이처럼 우리나라는 예산권이 중앙에 예속되어 있고 모든 것들이 중앙집권화되어 있다. 이렇듯 예산권의 중앙예속화는 실질적인 지방자치를 실현하는데 근본적인 장애요인이 되고 있다.

충북의 경우 예산은 4조5천억 원에 달한다. 그러나 이 중에서 도지사가 재량으로 사용할 수 있는 예산은 2천억 원에 불과하다. 나머지 금액은 중앙정부에서 시키는 대로 집행해야 하는 예산일 뿐이다. 절름발이 지방자치를 해소할 수 있는 가장 근본적인 해법은 중앙정부에서 모든 권한과 예산을 지방정부로 대폭 이양해야 한다. 이것이 전제되지 않는 한 진정한 지방자치는 요원할 수밖에 없다. 물론 지방의회 의원들의 솔선수범하는 의정활동과 뼈를 깎는 자성도 절실히 요구되고 있다. 일부이긴 하지만 지방의원들의 일탈 행위, 당선되고 난 후에 바뀌는 의원들의 태도변화, 그리고 지방의원들의 열정 부족과 투철한 사명감 결여 등도 진정한 지방자치를 실현하는 데 걸림돌이 되고 있다.

대통령 직속 지방자치발전위원회는 지난해 서울을 비롯한 6개 광역시의 구·군의회를 폐지하고, 서울을 제외한 다른 광역시는 구청장·군수를 직선으로 뽑지 말고 광역시장이 임명하는 내용의 지방자치발전 종합계획을 발표했다. 서울은 수도(首都)라는 상징성이 있고, 25개 구청장을 시장이 임명할 경우 시장의 인사권이 너무 비대해질 우려가 있어 구청장 직선제를 유지하자는 것이다.

지방자치발전위원회는 전국 기초단체장과 기초의원 선거의 정당 공천제 폐지를 추진하기로 했다. 정당공천이 폐지되면 지역 기반은 부족해도 능력 있는 사람들에게 공천을 통해서 공직에 봉사하도록 기회를 주는 것이 어려워진다는 문제점도 있다.

언론은 지금의 지방자치제도와 관련하여 '재정자치를 못 이룬 지방은 '껍데기'일 뿐 현재의 지방자치제도는 여전히 중앙집권 중심으로 진행되고 있다. 주민 관심과 선거 참여로 허술한 제도의 혁신을 이끌어내야 한다'고 주장하고 있다.

1995년 시장·군수·구청장을 주민 직선으로 뽑는 지방자치제가 도입된 지 24년을 넘어섰다. 그동안 지방자치제 시행에 따른 문제점도 드러날 만큼 드러났다. 이번 기회에 고칠 것은 과감히 고쳐 우리 실정에 맞는 지방자치제를 만들어 가는데 도민 모두가 함께 나서야 한다.

도의회의장의 일과

[인생은 흘러가는 것이 아니라 채워지는 것이다. 우리는 하루하루를
보내는 것이 아니라 내가 가진 무엇으로 채워가는 것이다]

-존 러스킨-

나는 새벽 5시에 기상한다. 눈을 뜨면 우선 사업장이 있으니 한 시
간 정도 주유소를 둘러보고 집에서 이루어지는 일들을 7시까지 점검
한다. 그리고 아침 식사를 한 뒤에 오전 8시 청주행 버스에 올라탄다.
버스에서 오늘 할 일들을 우선순위대로 정리해본다. 시간이 나면 옆에
탄 사람과 대화를 나누며 민의(民意)도 추스른다.

얼마 전에는 청주대학교 사태를 놓고 학생들이 진정으로 바라는 게
무엇인지 의견을 들었다. 충북의 현안을 놓고 기탄없는 대화도 나누고
해결책에 대한 의견을 진지하게 수렴하기도 했다. 청주에 도착하면 대
기 중인 공무차량을 타고 의장실로 출근한다. 이어 오전 10시 회의가
시작되고, 회의가 끝나면 결재를 하고, 매일 11시가 되면 오전 일정으
로 잡힌 외부 행사에 참여한다.

도내 전 지역에서 매일같이 행사가 있고, 참석을 요구하는 공문이
오기 때문에 도의회의장은 몸이 열 개라도 모자랄 지경이다. 12시가
되면 사회단체, 언론기관, 각 관공서 단체장, 지인들과의 오찬 일정이
잡혀있다. 오후에는 2시 이후에 잡힌 행사에 참여하고, 사무실에 들어
오면 밀린 결재와 함께 틈틈이 사무실로 직접 찾아오는 분들과 면담
을 해야 한다.

이처럼 10분, 20분 단위로 잡혀 있는 일정을 소화하다 보면 오후 5

시가 된다. 저녁 일정 행사는 6시부터 시작된다. 도내 행사도 중요하지만 지역구인 충주지역 행사도 참여해야 한다. 어떤 때는 청주에서 저녁을 먹는 둥 마는 둥 행사에 참석한 뒤에 허겁지겁 다시 충주에 가서 저녁 행사에 참여하고 밤 10시까지 사람들을 만난다. 그러다 집에 가면 피곤함이 몰려와 곯아떨어지기 일쑤였다.

도의장이 된 이후 매일 반복되는 대민접촉에 우선적으로 시간을 할애하다보니 나 자신을 돌아볼 시간도, 공부할 틈도 절대 부족하다. 의장은 매일같이 도청이 있는 청주에 있어야 한다. 친지나 친구 자녀 결혼식, 축하연에 참석하지 못할 때에는 아내를 보내 축하를 전달한다. 그래도 불러주는 곳이 많으니 행복한 인생이 아닌가!

나는 시간에 쫓기고 피로에 쫓길 때마다 토막시간을 활용한다. 차로 움직일 때는 이동하는 시간에 5분이라도 잠을 청한다. 꿀맛 같은 시간이다. 공무차를 타고 이동하는 시간에는 전화를 이용해 업무를 보거나 평소 만나지 못하던 지인들과 통화를 나누기도 한다.

버스 타고 출근하는 도의회의장

[존경과 권위는 스스로 선배라고 선언하여 얻을 수 있는 것이 아니다. 그의 행동과 품위, 아껴 보고 배울 점들로부터 자연스레 얻어지는 것이다]
- 허지웅, 『버티는 삶에 관하여』 중에서-

행사장에 가면 관계자들이 입구에서 대기하고 있다가 참석자들의 차량 문까지 열어주는 걸 이따금 본다. 단체장 행차(?)에는 여러 명이

뒤따라가며 위용을 과시한다. 이를 보면 거부반응이 나타나기 마련이다. 주위에서 바라보던 사람들도 돌아서면서 들릴 듯 말 듯한 목소리로 한마디씩 한다.

"참으로 꼴불견이네!"

나 역시 전적으로 공감한다. 그래서 행사장 초청을 받으면 행사장 수십 미터 전방에서 내려서 걸어서 들어간다. 충혼탑에 올라갈 때도 행사 관계자들이 보이지 않는 지점에서 내려 도보로 이동했다. 도의원에서 도의회의장으로 잠시 직책은 바뀌었을지언정, 평소의 마음까지 바뀌어서는 안 된다는 생각을 하고 있다. 비서에게도 나보다 앞서 걸으며 교통정리(?)를 하지 말라고 신신당부한다. 권위를 버리면 마음이 편해진다.

행동이 바뀌면 마음이 바뀐다. 나는 의장에 당선되기 전부터 의장이 되면 반드시 버스로 출근하겠다는 생각을 했다. 당선되고 나면 생각이 달라지는 사람들을 보면서 나는 그러지 말아야겠다고 수도 없이 다짐했다. 그리고 그 생각을 지금도 꾸준히 실천하고 있다.

버스를 타고 다니면 좋은 점이 많다. 공무차를 타지 않으면 운전기사와 수행비서 직원들이 덜 고생한다. 기름값도 절약된다. 버스를 타고 출근한다고 해서 버스비를 대주지는 않는다. 그렇지만 이런 작은 것부터 지키는 것이 중요하다. 그래야 도의회의장의 짐을 벗어 던질 때 홀가분해질 수 있다. 일부에서는 이를 전시용이라고 비판도 하는 모양이다. 공무원들은 안전사고가 날 경우 자기들에게 책임이 돌아올까 우려도 한다.

버스를 타면 이따금 신경 쓰이는 일이 있다. 나는 버스 앞자리에 주로 앉는다. 그런데 기사들이 계속해서 휴대전화를 하면서 운전하면 불안하기도 하고, 어떤 때는 화가 치밀어 오르기도 한다. 나뿐만 아니라 시민의 안전을 위해서라도 절대 막아야 할 일이다.

지방자치법 개정, 지금이 골든타임이다

[시민이 행복하면, 도시가 행복해진다. 도시가 행복하면, 국가가 행복해진다. 이 단순명료한 진리를 우리는 잊지 말아야 한다]

— 박원순 서울시장 —

풀뿌리 민주주의인 지방자치가 부활한 지 24년이 지났다. 어느덧 건장한 성년이 된 것이다. 사람이 24살이 되면 대학을 졸업하고, 직장인이 되어 독립된 생활을 한다. 그리고 인생에 대한 결정을 스스로 하며, 그 결정에 대한 책임도 스스로 진다. 즉, 자신과 관련된 모든 사항을 스스로 결정할 수 있는 권한을 주고, 그에 따른 책임도 져야 한다.

그러나 24년이 된 우리의 지방자치는 어떨까? 성년으로서 독립된 의사결정을 하고 있을까? 그렇지 않다. 우리나라의 지방자치는 아직도 중앙정부에 지나치게 종속되어 있고, 중앙정부의 결정에 의존하고 있다. 지방자치가 중앙정부에 종속되어 있는 이유는 중앙집권적 법률과 제도적 한계, 그리고 예산의 종속 때문이다.

지방자치법이 제정된 지 66주년을 맞이했지만 지방자치법 제1조에서 명시하고 있는 '지방자치행정을 민주적이고 능률적으로 수행하고, 지방을 균형 있게 발전시키며, 대한민국을 민주적으로 발전시킨다'는 목적과 달리 현실은 그에 크게 미치지 못하고 있다.

미래학자인 앨빈 토플러는 '미래사회의 최고 가치는 다양성이기 때문에 지방분권이 미래의 정치질서'라고 주장했다. 사회학자 벤저민 바버도 『뜨는 도시, 지는 국가』 저서에서 '도시는 민첩하고 실용적인 단위로 참여적·민주적이기 때문에 국가 차원에서 해결할 수 없는 초국가적인 문제를 더 잘 해결할 수 있다'고 강조했다. 이처럼 세계적인 석학들은 21세기를 분권형 사회로 규정하고 있다.

진정한 지방자치가 정착되려면 자치입법권 확대, 자치조직권 강화, 지방재정권 독립, 분권적 사무이양 등이 필요하며, 지방자치법 개정이 반드시 선행되어야 한다.

나는 그동안 전국 시·도의회의장협의회 사무총장으로서 지방분권을 통한 지방경쟁력 강화가 국가경쟁력 제고의 초석이라는 점을 강조하며 지방자치의 기본법인 지방자치법 개정안 마련에 주력해 왔다.

그 내용으로 **첫째**, 국가와 지방자치단체를 수평적이고 협력적 관계로 설정할 것을 지방자치법의 기본 목적에 명시했으며, 주민의 참여 아래 주민 복리에 관한 사무를 종합적으로 처리하는 지위임을 신설하는 등 지방자치단체의 위상을 명확히 했다.

둘째, 사무 배분에 있어서도 지방자치단체가 스스로 종합적으로 처리할 수 있도록 포괄적으로 배분함은 물론, 그에 따른 행·재정적 지원이 이루어져야 함을 명시했다.

셋째, 조례제정권을 확대하고 조례의 실효성 확보를 위한 형벌 도입이 가능하도록 개정하는 등 지방의회의 입법권도 대폭 강화했다. 이밖에 지방의회가 본연의 기능을 수행할 수 있도록 보좌직원 및 지방의회 소속의 감사기구 설치, 인사청문 특별위원회 설치, 지방의회 의장의 사무직원 임용 등 근거를 마련하는 내용을 담았다.

지방자치법 개정은 보다 실질적인 지방분권과 지방자치를 추진할 수 있는 기초가 될 수 있을 뿐만 아니라, 지방자치가 대한민국의 새로운 성장 동력으로 전환될 수 있는 중대한 전환점이 될 수 있다.

그동안 우리의 지방자치제도는 충분한 사전 검토나 시행방안에 대한 제대로 된 지식과 정보를 갖출 겨를도 없이 중앙정치권에 의해 일방적으로 갑자기 시행되었다. 그로 인해 지방자치법이 지방자치를 구속하고 훼손한다는 비난에 직면하고 있다.

이제는 더 이상 온전한 지방자치의 실시를 미룰 수 없다. 주민 아닌 국민 없고, 지역 없는 국가는 있을 수 없다. 지방자치의 중요성을 깊이 인식하고 국민 행복의 두 수레바퀴인 중앙과 지방의 상생협력이 절실히 요구되고 있다.

지방자치가 지역발전은 물론 국가경쟁력을 높일 수 있는 중대한 성장 동력으로 인식되고 있는 지금이 지방자치법의 전면 개정을 위한 '골든타임'이라는 생각이 든다.

정책지원 전문 인력 도입 시급하다

[제도가 만든 법칙에만 따르는 것은 노예 의식이다. 인간의 원칙을 따르려는 의식만이 우리를 자유롭게 한다]

– 톨스토이 –

얼마 전 연합뉴스와 인터뷰를 하면서 나는 지방의회의 선진화 방안으로 '정책지원 전문 인력 도입'을 제안했다. 이는 지속적인 지방분권으로 의회의 활동 범위는 확대되고 있지만 조직과 권한, 전문성은 집행부에 비해 취약하다는 점, 그로인해 효과적인 견제와 균형이 이뤄지지 못하고 있다는 판단에서 나름의 의견을 제시한 것이다.

지난 5월 국회 안전행정위원회는 지방자치법 개정안을 통과시켜 법제사법위원회 심의를 앞두고 있다. 이를 근거로 광역의원 1인당 1명씩 정책지원 전문 인력을 두면 전문성과 법률지식이 요구되는 부분에서 의원 개개인의 역량을 더욱 발휘할 수 있다. 집행부와의 비정상적 구조를 개선하기 위해서라도 조례입법권의 범위를 확대하고, 인사권 독립을 제도화하는 것은 시급하다.

충북도의회에도 상임위별로 5명 정도의 전문위원이 있다. 그러나 이들 중에서 정책보좌관 역할을 할 수 있는 직원은 2~3명에 불과하다. 이들도 대부분 도에서 파견을 나와 있고, 근무 기간도 짧게는 1년여 남짓이어서 정책보좌관 역할에는 역부족이다. 게다가 집행부의 견제 역할을 해야 하는 도의회가 집행부에서 파견된 직원에게 도움을 받는 것도 모양새가 우습다.

지방자치법 개정안이 통과된 것에 대해 이를 비판하는 시각들도 있다. '무보수 명예직에서 유급제로 바뀐 것도 모자라 이제는 보좌관까지 두겠다는 말이냐?'며 언성을 높이는 국민들도 있다. 말이 정책지원 전문 인력일 뿐 개인 보좌관으로 변질될 수 있다는 시각이 그것이다. 일부에서는 '1년에 조례를 단 한 건도 발의하지 않고 놀고먹는 의원이 수두룩하다'며 지방의원들의 기본자질과 도덕성이 수준 이하임을 지적하기도 한다.

지방자치가 부활한 지 어느덧 24년의 세월이 흘렀다. 이 기간에 지방의원의 업무는 양적·질적으로 상당히 증가했지만 현재와 같은 지원 시스템으로 제대로 된 지방자치를 구현한다는 것은 아직도 요원하다.

더욱이 주민의 실생활에 직접 영향을 미치는 조례를 제정하려면 정책에 대한 이해와 함께, 다양한 이해 관계자들의 의견도 수렴해야 한다. 그런데 이를 지방의원 개개인의 역량에만 의존하는 건 한계가 있다. 따라서 지방의원의 의정활동을 전담, 지원하는 별도의 보좌 인력을 두어 의정활동의 전문성을 강화하는 차원에서도 정책지원 전문 인력 제도의 도입은 시급하다.

일부 지방의회의원들의 부족한 자질과 부도덕성은 비난받아 마땅하다. 그렇다고 해서 지방의회가 제대로 일할 수 있도록 여건을 만들어 주자는 데 반대하는 것도 지방자치를 가로막는 일이다. 정책지원 전문 인력을 지원하자는 것은 시·도의원들을 특별 대우해 달라는 뜻이 아니다. 그들이 제대로 지방자치를 위해 일할 수 있는 최소한의 여건을 만들어 주자는 것이다.

도민 행복으로 가는 첫걸음! 진정한 소통!

['말'을 독점하면 '적'이 많아진다. 적게 말하고 많이 들어라. 들을수록 내 편이 많아진다]

— 국민 MC 유재석 —

입추에 이어 말복이 지나자 아침저녁으로 선선한 바람이 분다. 그래도 한낮에는 여름 더위란 녀석이 "나 아직 살아 있다"고 뜨거운 입김을 뿜어내며 위엄을 떨친다. 더위의 끝자락이 아쉬운지 매미 한 마리가 "맴, 맴" 하면서 조심스레 울기 시작한다. 그러자 잠자코 있던 매미들도 하나둘씩 제 목소리를 내며 목청이 터져라 합창을 한다. 귀 기울여 들으니 처음 매미가 낮은 소리로 눈치 보듯 조용히 울기 시작하면 주변 매미들도 울음을 가세해 소리가 커졌다가 잦아들었다가를 반복하고 있었다.

매미들도 멋대로 제 목소리만 내는 것이 아니었다. 나름대로 자기 의사를 표시하고, 상대가 내는 소리에 화답하며, 소통을 하고 있다는 생각이 들었다. 한갓 매미조차도 식구들, 동료들과 저렇게 소통하면서 공동체를 이루어 살아가는데 소통의 부재로 삐거덕거리며 상대의 고통을 '나 몰라라' 한 채 제 목소리만 높이는 우리네 세태가 부끄러워졌다.

사람은 누구나 가족, 친구, 친지와 같은 사적인 관계에서부터 직장, 기관과 기관, 중앙정부와 지방정부에 이르기까지 서로 소통을 하며 관계를 유지해 간다. 두 번의 도의원 생활을 하면서 내가 가장 중요하다고 생각하고 실천하고자 했던 것도 역시 "소통"이다.

특히 제10대 충청북도의장으로서의 임무를 맡게 되면서 나는 일방적인 정보 전달이나 의견 표명보다는 분야와 계층, 지역을 망라한 끊임없이 소통하는 충청북도의회가 되고자 애썼다. 지금 우리 사회가 그토록 '소통, 소통' 하고 노래를 부르다시피 강조하는 이유 또한 가장 부족한 것이 '소통'임을 반증해주는 셈이다.

요즘 나는 『조선의 부부에게 사랑 법을 묻다』라는 책을 머리맡에 놔두고 틈틈이 보고 있다. 책장을 하나씩 하나씩 넘길 때마다 우리가 생각하고 있었던 조선 시대 부부상과는 다른 모습을 하고 있어 놀라게 된다. 남성 중심적이고 권위적이었을 것으로 생각했던 조선 시대 부부들은 예를 중시하는 유교의 가르침에 따라 늘 서로를 배려하고 존중해왔던 것이다. 또 부부 간 소통을 매우 중시해서 평소에도 끊임없이 시나 편지를 주고받으며 서로의 마음을 나누고 있었음을 알게 되었다.

한국 역사상 최고의 지성이라 불리며, 높은 학문뿐 아니라, 인품까지 갖춘 퇴계 이황 선생 부부 일화는 소통의 진정한 의미에 대해 다시 한 번 생각하게 한다.

퇴계 이황 선생은 스물한 살 때 첫째 부인과 결혼하였으나 둘째를 낳은 지 한 달 만인 스물일곱 살에 첫 부인과 사별한다. 그리고 삼 년 뒤 권질의 간곡한 부탁에 따라 지적 장애를 가지고 있는 그의 딸과 재혼한다.

어느 날, 온 식구가 제사상을 차리는데 상위에서 배 하나가 떨어졌다. 이것을 본 권 씨는 얼른 배를 집어서 치마 속에 숨겼다. 큰 형수는 동서를 나무랐지만, 퇴계 선생은 아내의 잘못을 대신 사과했다. 그리고 제사가 끝나고 퇴계 선생이 아내 권 씨를 불러 치마 속에 배를 숨긴 이유를 묻자, 권 씨는 먹고 싶어 그랬다 했다. 그러자 퇴계 선생은 그 배를 직접 깎아 주기까지 했다고 한다. 과연 그를 일컬어 '군자'라고 하는 이유를 알게 되고, 고개가 절로 끄덕여졌다.

퇴계 선생이 지적 장애를 가진 아내에게 자신의 입장에서 야단치고 호통만 쳤다면 그의 부부관계는 고통의 연속이었을 것이다. 진정한 소통이란 내 생각과 의견을 일방적으로 상대에게 전달하고 강요하는 것이 아니다. 이황 선생 부부 이야기는 비록 지적장애를 가진 아내일지라도 상대의 눈높이에 맞추어 상대를 인정하고 이해하는 것이 진정한 소통임을 일깨워 주고 있다.

≪소통을 실천하는 의회가 되어야…≫

제10대 충청북도의회의장에 취임한 이후 나는 소외당하는 이들의 눈높이로 그들과 소통하기 위해 기관보다 어려운 이웃들을 먼저 방문했다. 그리고 그들의 말에 귀 기울였다.

2015년 새해에는 '사랑의 연탄 나누기'를 통해 어려운 이웃과 함께 새해를 시작하였다. 또한 전체 의원 연찬회 방식을 기존 형식에서 벗어나 현안 사업장과 생활현장을 방문하여 도민들의 생생한 목소리를 듣고 해결책을 제시하려고 노력했다. 한국농아인협회 충북협회와는 9월부터 수화통역을 하고 인터넷 방송으로 송출한다는 협약을 체결하여 도내 농아인에게도 의정 참여의 길을 열어주었다.

아직도 우리 앞에는 문장대 온천개발 저지 문제, 무상급식 분담금 합의 문제 등 소통 부족으로 갈등과 고통을 겪는 많은 현안이 놓여있다. 얼마 전에는 충청북도의회 주관으로 충청북도와 교육청이 함께하는 무상급식 분담금 토론회를 열었다. 한 번의 토론회로 무상급식비 분담액에 대한 합의점을 찾지는 못했지만, 양 기관은 상대의 입장이 어떤지 들어보는 것만으로도 문제 해결을 향한 첫 발걸음을 떼었다고 생각한다.

사람이 입이 한 개이고 귀가 두 개인 이유는 두 번은 듣고 한 번만 말하라는 뜻이다. 충북도의회도 더욱 낮은 자세로 도민의 목소리에

귀를 기울여 그들의 아픈 곳을 어루만져 주고 가려운 곳을 시원하게 긁어 줄 수 있는 진정한 소통을 실천해 나가야 한다. 이 소통은 의원들 모두가 앞장서 나가야 할 것이다.

충북도의회 독립청사

[우리가 노력 없이 얻는 거의 유일한 것은 노년이다]

– 글로리아 피처 –

≪더부살이 의회≫

충북도의회는 전국 17개 시·도의회 중 유일하게 독립청사가 없이 도청 신관 건물 일부를 사용하고 있다. 이는 유사한 규모의 광역 시·도인 대전, 광주, 강원도의회의 절반 수준으로 청사면적이 좁고, 주차장 등 부대시설도 매우 열악하다.

도청의 부속건물을 제한적으로 사용하다 보니 '열린 의회'를 표방하면서도 민원인들을 맞이할 장소도 변변치 않다. 상임위원회 의정활동을 공개하고 싶어도 자리가 비좁아서 참관 신청도 받을 수 없다. 별도의 회의장이 없어 토론회 및 세미나를 개최하려면 시·도 회의실을 빌려 쓰는 형편이다. 사정이 이렇다 보니 전국 단위의 대규모 행사는 개최할 엄두도 내지 못한다.

전국 시·도의장단협의회 사무총장을 맡은 나는 매월 전국 시·도를 방문하고 돌아올 때마다 의기소침해진다. 다른 16개 시·도의회가

5성급 호텔 수준이라면 우리 충북도의회 청사는 허름한 여인숙 수준에 머물러 있기 때문이다.

지난 4월 충청북도의회와 자매결연을 한 중국 광서장족자치구 외빈이 도의회를 공식 방문했다. 충북도의회는 내부에 자체 접견실이 따로 없어 의원 휴게실에 병풍과 화분으로 곰팡이가 핀 부분을 가리고, 접견실로 꾸며 방문단을 맞았다. 그때를 생각하면 지금도 얼굴이 화끈거리고 충청북도의회 의장으로서 참으로 씁쓸하다. 물론 집이 커야 일을 잘하는 것은 아니지만 말이다.

충청북도의회는 지난 4대 의회 출범 시 본회의장은 물론 변변한 회의장도 없이 도청의 셋방살이를 하다가 1993년 7월 현 도청 신청사에 도의회 청사를 증축하여 지금까지 사용해 오고 있다. 우리가 견제·감시해야 할 충북도청에 '더부살이'를 하는 것이다. '더부살이하면서 제 옷도 변변히 못 입는 형편에 주인집 마누라의 속곳 마련할 걱정을 한다'는 속담이 있다. 지금 도의회의 형편을 말해주고 있지 않나 싶다.

≪청사 건립을 위한 한 걸음≫

나는 제10대 의회 임기 중 도의회 청사 건립 문제를 반드시 해결하겠다는 생각에 사무처장을 단장으로 하는 '충청북도의회 청사 건립 준비단(T/F 팀)'을 2014년 12월 18일 구성했다. 그리고 두 번의 긴급회의를 통해 그동안의 추진경과를 면밀히 살펴보면서 청사 건립 로드맵을 만들었다.

마침 2015년 2월 청주시 율량동으로 이전해 비어 있는 구 중앙초등학교 용지가 행정타운 형성과 도민 접근성, 도심 공동화 방지 등을 고려했을 때 최적의 용지라는 판단이 들었다. 이번 기회야말로 독립청사 건립을 위한 골든타임이라는 생각이 들었다.

중앙초등학교 자리에 다른 시설이 입주하게 된다면 의회 독립청사 건립의 꿈은 역사 속으로 영영 사라지게 될지도 모른다는 생각에 도 및 교육청과의 긴밀한 협조체계를 구축하고, 동료 의원들에게도 협조를 요청했다.

충청북도와 충청북도교육청 양 기관은 모두 구 중앙초등학교 용지에 독립된 의회 청사가 건립돼야 한다는 것에 공감하면서도 의회 청사 건립비용에 대해서는 의견을 달리하며 팽팽히 대립하고 있었다. 도의회에 청사를 제공할 의무가 있는 양 기관이 도민과의 소통 편의를 위해 긍정적인 마인드로 검토해 줄 것을 도지사와 교육감에게 수차례에 걸쳐 간곡히 전달했다.

의회사무처장을 단장으로 하는, '충청북도의회 청사 건립 준비단' 도 충북도와 도교육청의 국·과장 회의와 실무회의 등을 수차례 개최하며 이견을 좁히려고 노력하는 한편, '도의회 청사 건립 타당성 및 입지 결정 분석 용역'을 실시하고, 도민 공감대를 형성하기 위하여 '청사 건립을 위한 대도민 토론회'를 개최하는 등 발 빠르게 움직였다.

마침내 지난 4월 양 기관은 구 중앙초등학교 용지매입과 관련한 업무협약을 체결하였고, 도에서는 현재 구 중앙초등학교 용지 활용 방안에 대한 용역을 실시 중이다.

최근 행정수요는 점점 증가하고 있다. 의회의 기능과 역할도 의정 환경 변화에 따라 날로 다양화되고 있다. 기구 확대에 따른 업무공간도 필요하다. 독립청사 건립을 계속 미루면 나중에는 막대한 주민의 혈세가 투입되어야 이전이 가능해진다. 충북도가 한정된 재원으로 살림을 꾸려 나가는 것이 만만치 않을 것이다. 그러나 도의회 역시 도민을 위해 일하는 기관이다. 대승적 차원에서 합의점을 찾아 충북이 다시 한 번 도약하는 전기를 마련해야 할 시점이다. 지금이 아니면 의회 청사 건립은 시기를 놓치게 된다. 의장인 나도 시대적 소명과 사명감, 그리고 절박한 심정으로 제10대 도의원 임기 동안 도의회 독립청사 건립을 추진해 나갈 것이다.

굴뚝 산업 유치를 통한 지역경제 활성화가 능사가 아님을 알면서도 일부 정치인들의 무지와 지역 주민들의 무관심으로 지금까지 충주(忠州)는 한반도의 중심 역할을 다하지 못하고 있다. 이제라도 늦지 않았으니 우리는 우리의 것을 소중히 여기면서 충주지역을 역사와 문화, 예술이 살아 숨 쉬고 함께 발전하는 아름다운 고장으로 가꿔가야 한다.

속 시 원 하게 살자

5부

"통일은 어느 날 갑자기 올 수 있다"

충청북도

통일은 어느 날 갑자기 올 수 있다

중원문화예술 포럼

[내가 오직 한없이 가지고 싶은 것은 높은 문화의 힘이다. 문화의 힘은 우리 자신을 행복하게 하고 나아가서 남에게 행복을 주기 때문이다]

– 백범 김구 –

지난 8대 도의원 시절부터 나는 중원지역의 문화와 예술의 활성화를 위해 뜻있는 분들과 가칭 중원문화예술 포럼을 만들어 진행하고 있다. 매월 한 차례씩 충주 일대에서 꼭 필요한 문화예술에 대한 발제를 시작으로 우리의 현 상황과 앞으로 펼쳐야 할 갖가지 방안을 도출하고, 일깨우고, 실천하기 위해 우리의 마음을 다잡고자 운영해 오고 있다.

지금까지 수차례의 포럼을 통해 중원문화의 발전 방향, 아직까지 채 정리되지 못한 역사적 사실, 앞으로 발전시켜나가야 할 분야 등 이런 부분들에 대해 집중적인 토론을 해왔다. 규격화된 형식도 탈피하고, 어느 곳으로부터도 지원도 받지 않고 순수하게 민간차원에서 지역 문화예술 발전을 위한 방향을 제시하면서 우리 스스로가 공부를 해나가는, 그래서 우리가 스스로 이런 부분에 대해 지역에서 책임을 지며 일해 나가야 한다는 다짐을 하면서 포럼행사를 열고 있다.

물론 비판적인 세력도 있고 못마땅해 하는 사람도 있다. 그러나 이 지역에 태어나 이 지역에서 살다가 갈 지역민의 한 사람으로, 우리가 후손들에게 물려줄 영원한 자산으로 더욱 진전된 문화와 예술을 남겨주려면 어떠한 비난과 어려움이 있더라도 이 사업을 계속해 나가야 한다고 생각한다.

안타깝게도 충주지역은 우리의 것을 소홀히 취급하는 경향이 있다. 예를 들어 중요무형문화재 76호인 택견은 세계 유네스코에 등록된 아주 중요한 무형문화재임에도 우리 지역 사람들은 별것 아닌 것으로 취급하는 인상이 짙다.

해마다 충주에서는 세계무술축제가 열린다. 우리의 중요한 문화재인 택견을 중심으로 세계무술축제를 진행해왔다면 우리의 정통무술인 택견은 지금보다 더 널리 보급되고, 세계를 향한 발걸음과 세계무술축제도 더욱 알찬 축제가 되었을 것이다. 그러나 축제를 진행하는 행사관계자들은 택견을 세계무술축제의 곁가지로 생각해왔다. 그래서인지 택견은 발전 속도도 더디고, 택견의 세계화 역시 멀고 먼 길이 되어버렸다. 충주지역에는 김진미 무용단, 사물놀이 몰개 등 전국 어디에 내놔도 손색이 없는 최고의 실력을 인정받는 문화단체들이 많은데, 유독 사람들이 이들을 인정하는 데 인색하다는 느낌을 지울 수 없다.

내 자식이 잘났다고, 내 자식의 실력이 월등하다고 널리 알리고 선전해도 남들이 알아주기 힘든데 내 고장에서도 인정을 받지 못하는 사람들이 어떻게 남의 지역에 가서 인정을 받을 수 있을까, 참으로 안타까울 때가 많다. 잘하는 것은 더욱 발전시키고, 잘 못하는 것은 애정 어린 격려를 통해 보완하고 더욱 발전시켜 나가야 하는 게 우리가 할 일이 아니던가.

전국 4대 문화제이며 45회째 열려온 우륵문화제 역시 예산지원이 어느 순간 반 토막 나고 말았다. 잘못된 부분이 있다면 충분한 토론을 거쳐 서로가 이해하고 소통하는 가운데 예산을 삭감했어야 한다.

21세기의 진정한 삶의 가치상승은 문화예술을 통해 삶의 질을 향상하는데 있다. 우리 중원문화 포럼 회원들은 이 같은 문제점을 지적하며 우리 지역의 문화예술 발전을 위해 더욱 진정성을 갖고 노력했으면 한다.

충주에 대한 소고(小考)

[여행은 그대에게 적어도 세 가지 유익함을 가져다줄 것이다. 첫째는 타향에 대한 지식이고, 둘째는 고향에 대한 애착이다. 셋째는 그대 자신에 대한 발견이다]

- 브하그완 -

충주는 참으로 좋은 곳이다. 물과 산이 있고, 최근 들어서는 교통 인프라까지 훌륭하게 갖춰지고 있다. 따라서 전국 최고의 살기 좋은 자치단체로 발돋움하기에 손색이 없다.

삼국시대에는 고구려, 백제, 신라가 충주지역을 서로 자기 나라에 편입시키기 위해 치열한 전투를 벌였다. 그래서 충주는 어떤 때에는 백제 땅이었다가 다음날은 고구려 땅으로 변하고, 얼마 후에는 다시 신라의 땅으로 바뀌는 중요한 전략적 요충지로 알려져 있다.

삼국시대에 모든 문화를 한꺼번에 누리고 있는 이유는 충주가 전략적 요충지인 한강을 끼고 있으며, 한양 진입이 용이해 충주를 차지하기 위해 각국이 각축전을 벌였기 때문이다. 그만큼 입지적 조건이 탁월한 지역이다.

세계를 정벌했던 몽골군은 고려를 침입했다가 1252년 충주에서 김윤후 장군에게 패배해 몽골군 최초의 치욕스런 패전을 기록한다. 1592년 임진왜란 당시 신립 장군은 비록 패전은 했지만 충주 탄금대에서 배수진을 치고 장렬하게 싸우다 죽었다. 탄금대는 8천 고혼(孤魂)의 피눈물의 역사가 얼룩진 곳이다.

6·25 동란 때는 북한군에게 밀려 후퇴를 거듭하던 국군이 이곳 충주 동락리에서 북한군 1개 연대를 국군 1개 대대 병력으로 과감하게 격파한 최초의 승전지로 유명하다. 여기에서 노획된 무기가 유엔으로 보내져 소련의 전쟁개입 사실을 확인하고 16개국 유엔군이 파견되는 결정적 계기가 됐다.

이러한 역사가 점철된 충주야말로 호국의 땅이요, 수많은 역사가 반복되면서 형성된 문화유적 등이 어우러져 어느 지역보다 스토리텔링 자료가 풍부한 곳이다. 역사와 문화예술의 고장으로써 손색이 없다. 그럼에도 후손들이 이 같은 역사적 사실들과 삼색온천, 충주호, 월악산 국립공원 등 풍부한 관광자원을 제대로 활용하지 못한 채 방치하고 있음은 안타까운 일이다.

굴뚝 산업 유치를 통한 지역경제 활성화가 능사가 아님을 알면서도 일부 정치인들의 무지와 지역 주민들의 무관심으로 지금까지 충주(忠州)는 한반도의 중심 역할을 다하지 못하고 있다. 이제라도 늦지 않았으니 우리는 우리의 것을 소중히 여기면서 충주지역을 역사와 문화, 예술이 살아 숨 쉬고 함께 발전하는 아름다운 고장으로 가꿔가야 한다.

그러기 위해서는 우리 모두의 적극적인 관심과 노력이 필요하다. 지금까지 충주 발전을 책임지겠다던 정치인들은 애석하게도 우리의 전통, 우리의 역사 문화를 깨닫지 못해 이를 제대로 활용하지 못했다. 그로 인해 문화예술 분야에 대한 무관심과 이해 부족은 지역발전을 후퇴시키는 결과를 초래했다.

대한민국 지역브랜드 평가위원회가 2013년 12월 8일 전국지자체 230개를 대상으로 지역브랜드 영향력 평가를 했다. 충주시는 가평군, 제주시, 서울시 강남구, 부산시 해운대구, 서귀포시, 통영시, 속초시 등과 함께 가장 살고 싶은 지역 1위로 선정되었다. 충주는 위치적으로 국토의 정중앙, 즉 내륙의 중심에 있어 1시간대에 서울로 진입할 수 있다. 게다가 인구 및 주택수요도 계속해서 증가하고 있다. 충주기업도시, 에코폴리스, 메가폴리스, 첨단산업단지 등 산업의 호재를 맞으면서 2년 연속 가장 기업을 경영하기 좋은 도시로도 선정됐다.

또한 충주는 수안보온천, 계명산, 충주호, 하늘재길, 국토자전거종주길 등 웰빙 인프라가 우수하다는 평가를 받아 은퇴자들의 귀농귀촌 1번지로 폭발적인 인기를 누리고 있다.

이처럼 충주시는 4통 8달의 열십자형 광역교통망과 최적의 물류 중심지로 급부상하고 있음에도 불구하고 역사와 문화, 예술을 중요시하는 정책을 적극적으로 펼치지 않아 우리의 소중한 것들을 지키고 발전시키는 부분에서는 매우 소홀하다는 평가를 받았다.

충주시도 우리만이 가지고 있는 소중한 역사적 유산들을 스토리텔링 등을 통해 그 가치를 제대로 발휘하는 관광도시로 비약적 발전을 도모해야 할 때다.

문화는 지역의 경쟁력이다

[좋은 문화는 나무가 가지를 뻗치고 잎이 무성한 것처럼 우리 머리 위에 덮여 있다. 나쁜 문화는 기하학적인 모양을 한 획일적인 우산을 쓰고 있는 것과 같다]

- 체스터튼, 영국의 작가 -

문화라는 용어를 한마디로 정의하기란 쉽지 않다. 사전적 의미의 문화(culture)란 자연 상태의 사물에 인간의 작용을 가하여 그것을 변화시키거나 새롭게 창조해 낸 것을 의미한다. 문화의 의미는 시대에 따라, 사회 집단, 이데올로기적 입장에 따라 다양하게 정의되고 변천됐다. 이는 인간이 창조한 사회적, 역사적 산물을 두고 인간들이 벌이는 권력 다툼과도 밀접한 관련이 있다.

충주는 역사적으로 볼 때 삼국시대부터 지금까지 중요한 전략적 요충지였다. 그래서 고구려, 백제, 신라가 자기 영토에 편입시키려고 치열한 전투가 벌어진 지역이기도 하다. 이유는 충주 일대에 철이 많이 생산되었기 때문이다. 과거에는 철을 지배하는 나라가 전쟁에서 승리할 수 있으므로 이 지역을 차지하기 위한 전투가 끊임없이 벌어졌다. 이렇게 충주가 고구려, 백제, 신라의 전쟁터가 되는 과정에서 주민들은 생존 문제와 겹쳐 이 눈치 저 눈치를 보다보니 한 번에 결정내리지 못하는 습성이 내재화됐다. 자신이 무언가를 책임지는 발언도 잘 하지 않는다.

심지어 낮에는 아군의 지배를 받다가 밤에는 적군의 영토가 되는 상황에서 자기의 소신을 공개적으로 밝히기 어려운 완충지대에서 살다보니 이 같은 주민들의 속성이 시나브로 형성된 것이다.

반면 충주지역민들은 명분 있는 전쟁에서는 한 발도 물러서지 않는 면면을 보여주었다. 고려 시대인 1231년 고종 18년에 몽골군이 사신 저고여(著古與) 살해 사건을 구실로 침입한 후 6차례에 걸쳐 고려를 침략했을 때, 이름 없는 의병들과 승병, 김윤후(金允侯) 등의 애국적 부대들이 처인성과 충주성 등지에서 완강하게 저항함으로써 고려 왕조를 유지하는 데 큰 힘이 되었다.

이러한 역사적 사실이 충주를 호국의 땅으로 승화시켜 우리의 소중한 자산이 되고 있다. 덕분에 충주는 역사의 고장, 호국의 고장으로 발전할 수 있는 무한한 잠재력이 있다. 또한 같은 권역에서 수안보의 알칼리온천, 앙성의 탄산온천, 문광의 유황온천 등 삼색온천을 즐길 수 있는 지역은 우리나라에서 충북 충주가 유일하다.

짙은 산림으로 드리워진 주변의 깊은 계곡과 함께 수려한 경관을 뽐내고 있는 충주호반은 중부지방의 관광 명소로 연간 1백만 명 이상의 관광객이 찾아든다. 최근에는 레저 붐을 타면서 인근 일대에 10개 이상의 골프장이 들어섰다. 이러한 자연 환경과 역사적인 향기 속에서 충주는 관광과 문화예술을 겸한 온천관광 지역으로 발전할 수 있는 무한한 잠재력을 갖고 있다.

중부내륙고속도로는 창원~양평 간 국토의 남북을 잇는 고속도로인데, 월악산, 문경새재, 수안보온천 등 중부내륙 지방의 관광자원 개발에 큰 역할을 하고 있다.

대한민국을 횡단하는 안중~삼척 간 동서고속도로는 중부권 물류 이송을 원활히 하기 위해 추진 중인데 2013년 8월 충주시 세계조정선수권대회 개최를 위하여 조기에 평택~충주 간 1단계 구간이 개통되면서 충주 시민들은 물론 충주 기업도시와 인근의 공단업체들도 혜택을 받고 있다. 게다가 제천까지 2단계 구간이 2015년에 7월에 완공되면서 동서고속도로는 서해안고속도로, 경부고속도로, 중부고속도로, 중부내륙고속도로, 중앙고속도로를 모두 연결하는 중부지역 핵심 고속도로로 급부상했다.

충청내륙고속화도로는 영동에서 단양까지 충북을 남북으로 잇는 4차선 도로를 만드는 사업으로, 2020년 완공을 목표로 하고 있다. 여기에 2019년 서울~충주 간 전국철도까지 완공되면 충주는 전국 어디에서든 2시간 내로 접근이 가능한 편리한 교통망을 갖추게 된다.

요즘은 굴뚝 없는 관광산업이 각광을 받고 있다. 그럼에도 충주시의 관광자원은 체계적인 관리가 없어 발전이 더디다. 이는 매우 안타까운 일이다. 지역 내 리더 역할을 하는 사람들이 관광자원을 잘 파악하지 못하고 있는 것도 큰 원인이다. 리더가 지역에 대해 문외한이면 아무리 지역에 애정이 있다 해도 지역을 발전시키기란 쉽지 않다.

지역발전을 앞당기는 정책으로 어떤 것들이 있을까? 지역에 태어나 지역에서 살고 있는 내 입장에서는 우리가 가진 고유의 문화유산을 잘 활용하여 문화관광자원으로 발전시켜나가는 것이 가장 빠른 방법이라고 생각한다. 아무리 큰 공장이 들어와도 자동화시스템으로 가동되다 보니 고용창출에 따른 지역의 인구증가는 기대하기 어렵다. 반면, 충주를 중부내륙권 관광지로 활성화하면 전국 각지로부터 많은 관광객들이 찾아와 지역 주민들에게 많은 일자리와 소득을 안겨다주는 효과를 기대할 수 있다.

예를 들어 관광문화가 활성화되면 생산자인 농민들은 수안보온천 일대에서 생산된 농산물들을 싣고 나와 직접 판매할 수 있다. 이렇게 되면 소비자와 생산자의 효율적인 직거래 한마당이 이루어지는데 이것이 관광산업의 효과이다.

나는 지금까지 주재기자, 국회의원 정책보좌관, 도의원 생활을 하면서 충주를 역사와 문화예술을 중시하는 관광도시로 발전시켜야 한다는 확고한 신념을 갖고 꾸준한 활동을 전개해 왔다.

초대 도의원 시절에는 2008년 10월 '제1회 대한민국 고미술축제'를 최초로 개최하게 하는 데 결정적 역할을 했다. 충주시에는 가흥 삼거리에서 앙성면까지 국도 36번을 따라 자생적으로 골동품, 고미술 거리가 형성되어 있다. 이 일대를 우리나라 최고의 고미술 거리로 조성하면 엄청난 부가가치를 창출할 수 있다. 현재 이곳에는 60여 곳의 수석갤러리, 고미술품 경매장들이 관광객들을 끌어들이고 있다. 이것이 가능했던 이유는 이곳에 거주하는 상인들이 이 일대를 전국에서 가장 교통이 좋고 문화유산 가치가 있다고 판단했기 때문이다. 서울의 인사동 거리처럼 이 일대 국도변을 따라 상권이 형성되면 국내 관광객은 물론 외국 관광객까지 유치할 수 있다.

사람들이 외국여행을 갈 때 가장 많이 찾는 관광지가 미술품, 골동

품을 볼 수 있는 박물관이나 예술의 거리이다. 따라서 충주 인근을 최고의 고미술 거리로 조성할 경우 엄청난 부가가치를 창출할 수 있다.

특히 충주 인근에는 통일신라 시대 석탑 중 규모가 가장 큰 국보 제6호 중앙탑(탑평리 7층 석탑)과 대한민국에서 발견된 유일한 고구려비로 알려진 국보 제205호 충주 고구려비가 있다.

조선 시대 영남강원 일대의 세금과 쌀을 한양으로 옮기기 위한 물류를 전담했던 가흥창, 삼국시대의 산성인 사적 제400호 장미산성, 세계 조정선수권경기대회가 열렸던 탄금호, 루암리 고분군, 탄금대 등은 삼국시대부터 최근 6·25전쟁까지 생생한 역사가 살아 숨 쉬는 아주 중요한 유적으로 손색이 없다. 여기에 고미술 거리와 연계까지 된다면 풍성하고 다채로운 관광문화 코스로 개발할 수 있다.

2007년 나는 당시 정우택 도지사를 모시고 제1회 대한민국 고미술 축제를 개최하도록 지원했다. 도비와 시비 등 3천여만 원의 예산을 받아 축제를 개최한 것이다. 나는 이 일대 주민들과 상인들이 이를 종잣돈 삼아 알차고 충실한 축제를 개최하고, 이를 점진적으로 발전시켜 나갔으면 하는 마음이었다.

그 후에도 예산은 계속 지원이 되었음에도 축제가 발전하기보다는 일부 사람들의 전유물로 치러지는 행사로 전락이 되는 것을 보면서 무척 안타까웠다.

2014년 재선 도의원 겸 도의회의장의 신분으로 지난 7월 중순에 이곳 주민들과의 간담회를 하면서 "이 지역이 다시 대한민국 최고의 고미술 거리로 조성해나가기를 바란다"는 희망과 추진 의지를 피력했다.

이곳은 국내 최대의 자료가 있는 어구박물관, 한글박물관, 목각을 이용한 일생의 생로병사를 담은 박물관, 수석박물관 등 다양한 요소

들을 갖추고 있어 그 어느 지역보다도 풍부한 유물과 자원을 갖춰나
가고 있다. 지금도 충주시가 충북도의 협조를 받아 이 일대를 고미술
거리로 조성하면 인근 일대의 수려한 자원과 문화와 역사가 어우러져
국내 최고의 관광명승지로 태어날 수 있을 거라 확신한다.

충주고 동문회장들과의 만남

[가장 축복받는 사람이 되려면 가장 감사하는 사람이 되라]

- C. 쿨리지 -

　내가 충주고등학교 동문회 사무국 일을 맡게 된 것은 김연권 동문
회장 시절 때부터다. 김 회장은 평소에 충주지역의 어른으로 사회활동
을 많이 하시고, 지역의 대소사를 열심히 챙기는 등 후배들에게 늘 본
보기가 되는 훌륭한 분이셨다.
　김연권 회장에 이어서 후임으로 추대된 분이 조주연 동문회장이다.
조 회장은 충주고 동문회장을 한차례 역임했던 꼿꼿하고 담대한 분이
다. 통일주체국민회의 대의원을 역임한 것이 공직 경험의 전부라고 할
정도로 초야에 묻혀 살았다고나 할까? 청주대학교를 졸업하고 군 법
무관을 역임한 이후로는 집안의 어른들을 모시려고 정관계 등 벼슬에
나가지 않던 재야의 선비 같은 어른이셨다. 그런데 이분이 나를 동문
회 사무국장으로 발탁했다. 조 회장을 모시는 동안 나는 충주고 동
문회보 창간을 비롯해 충고인의 밤 개최 등 동문회 활성화에 힘껏 노
력했다. 특히 유영모 등 20여 명의 동문회 임원들과 함께 충주 중앙시

장 2층에 있던 10평 남짓의 동문회관을 정리하고 새로운 동문회관을 건립하기 위해 5천만 원의 기금을 확보하고자 경향 각지에 흩어진 동문 선배들을 찾아 나섰다.

무작정 선배님들을 찾아뵙기가 겸연쩍었다. 나는 참깨를 사서 직접 짠 참기름과 충주사과 같은 고향의 정감을 담은 선물을 준비해 권경섭 동문회장 등과 서울의 동문을 찾아다니며 후원을 부탁드렸다. 20여 명의 동문회 사무국 임원들이 4개 조로 나뉘어 새벽에 서울로 출발해서 온종일 끼니도 거른 채 유력 동문을 찾아다닌 결과 마침내 5천여만 원의 성금을 모아 충주시 봉방동 국제전선 빌딩 4층, 1백여 평 규모의 동문회관 사무실을 마련할 수 있었다.

이때 조주연 회장은 기쁜 나머지 사무실 이사 비용과 실무적인 것들을 직접 챙겼다. 나는 회장을 보고 나 역시 보람된 일을 했다는 자부심과 충주고 동문으로서의 긍지를 가질 수 있었다. 이후 조 회장의 적극적인 노력으로 충주고 동문회는 더욱 활성화되었다.

임기가 마무리될 무렵 조 회장은 내게 "동문회관 사무실이 아닌 동문회관을 마련하려면 당시 이원성 대구고검장을 동문회장으로 영입하는 것이 좋겠다"고 말씀을 하셨다. 이후 극구 사양하시는 이원성 대구고검장을 동문회장으로 모시게 되었고, 나는 계속해서 사무국장으로 그를 보필하게 됐다. 이원성 대구고검장은 동문회장으로 취임하자 동문회 활성화와 동문회관 건립을 위한 추진위원회를 구성했다.

이원성 회장을 비롯하여 권경섭 동문 등이 각 5천만 원씩 성금을 내는 등 수년에 걸쳐 많은 동문이 참여하면서 8억 원 정도의 성금이 확보되자 충주시 호암동에 8백여 평의 용지를 마련하고, 2000년 11월 지상 3층 규모의 충주고 동문회관을 건립했다.

이원성 회장의 전폭적인 지원으로 충주고 동문회는 최고의 전성기를 맞았다. 이 회장의 후임으로 남승현 동문회장이 취임했다. 남 회장 또한 과감한 투자로 충주고 장학재단을 설립하기로 하고 본인이 먼저 1억 원의 성금을 기탁했다. 이어 뜻있는 동문들의 협조를 받으면서 모교 학생들에게 장학금을 줄 수 있는 계기를 마련했다.

나는 동문회를 위해 헌신적으로 일한 각 동문회장과 함께 모교인 충주고등학교 발전을 위해 열과 성을 다하는 등 사무국장으로서 해야 할 역할을 다했다. 이 기회에 지면을 통해 동문회장을 맡아 큰 기여를 해주신 권경섭 전 동문회장과 그동안 내가 모셨던 동문회장들에게 깊은 감사를 드리고 싶다. 나 역시 충주고등학교 동문회를 전국 최고의 명문으로 만드는 데 일조했다는 자부심을 간직하며 살아가고 있다.

충주고 동문 선후배들의 가없는 사랑과 보살핌 속에 나 또한 이 자리에까지 올 수 있었다. 그래서 동문들만 만나면 저절로 머리가 숙어진다. 앞으로도 충주고 동문에게 감사하는 마음을 늘 잊지 않고 살아갈 것이다.

공무원도 바뀌어야 한다

[메르스 사태와 같은 재앙이 나타났을 때 무능한 공무원은 그들 자체가 재앙이기도 하다]

－ 장순휘 여의도연구원 정책자문위원－

공무원들은 나라를 이끌어가기도 하지만 때로는 나라를 어렵게 만들기도 한다. 공무원들의 의식은 분명히 세워져 있어야 한다. 공무원의 잠재력은 무한하다. 자치단체장들이 공무원들을 어떻게 발굴하고 활용하느냐에 따라 생각하는 방식이 긍정적으로 변할 수도 있고, 미온적인 태도로 일관할 수도 있다. 4년 임기 동안 일하는 선출직 도지사, 시장, 군수, 도·시·군 의원들은 생각이 바뀌는데, 공무원들이 관습에 얽매여 쉽게 바뀌지 않는다는 느낌을 받을 때는 개탄스럽기까지 하다.

몇 년 전에 실제로 겪은 일이다. 나는 1993년에 충주시 수안보면 수회리 마당바위 주유소 허가를 받아 지금까지 영업을 해왔었다. 그러다가 새로운 사업을 시작하려고 주유소를 매각키로 했다. 마침 적임자가 나타나서 매매계약서를 쓰려고 하는데 주유소를 사겠다던 사람이 느닷없이 내게 전화를 걸어 "당신 사기꾼 아니야?" 하는 것이었다. "도대체 그게 무슨 소리냐?"고 했더니 '잡종지'이라고 내가 설명한 주유소 용지의 지목을 지적도에서 확인해보니 그 일대 잡종지가 모두 하천부지로 바뀌어 있었다는 기가 막힌 이야기를 하는 것이었다.

그 말을 듣고 더욱 놀란 것은 나였다. 내가 주유소 승인을 받을 당시에는 분명히 '잡종지'로 되어 있었음을 확실히 알고 있었다. 즉시 충북도청 하천과 담당자에게 전화를 걸어 확인했더니 하천부지로 바뀐 게 사실이었다. 이렇게 '잡종지'가 '하천부지'로 바뀐 것은 2012년 담당 공무원들이 현장에 나오지 않고, 홍수 수위조절 능력을 재적용하는 과정에서 발생한 일이었다. 충북도가 관리하던 석문천을 따라 흐르는 인근에 위치한 주유소 용지를 하천부지로 편입시킨 것이었다.

나는 도청 하천과 담당자에게 "그렇다면 당신들이 하천부지에 주유소 허가를 내준 셈이 된 것 아니냐? 그 바람에 나는 재산권 행사도 못하게 되었으니 도에서 주유소를 시세가격으로 매입하거나 보상을 하든지 해야 할 것 아니냐!" 강력하게 항의했다.

담당자는 대책을 찾아보겠으니 조금만 기다려 달라면서 처리를 자꾸 미뤘다. 이후 1년이 더 지나고 나서야 비로소 담당 공무원은 문제의 하천부지를 잡종지로 전환해주었다.

그러나 지금 주유소 시세는 당시 매각하려고 할 때 비해 절반 가격으로 내려져, 나는 재산상 큰 손해를 보았다. 이는 공무원이 현장에 나와 보지도 않고, 지도만 보고 잡종지를 하천부지로 만들면서 빚어진 사건이었다. 나로서는 기가 막히고 땅을 치고 통곡할 일이었다.

대한민국은 인구소멸국가 1호?

[인구통계의 변화는 미래와 관련된 것 가운데 정확한 예측을 할 수 있는 유일한 사실이다]

- 피터 드러커 -

내가 태어나던 시절만 해도 집마다 형제가 보통 7~8명씩은 있었다. 먹을 것도 변변치 못했던 시절에 시골에서 아이만 자꾸 낳다 보니 사는 게 더 힘들 수밖에 없었다. 그러던 우리나라에서 생계 문제가 해결되고 선진국으로 발돋움한 요즘 대한민국의 출산율은 아시아에서 싱가포르 및 홍콩과 함께 가장 낮은 수준으로 떨어졌다.

이처럼 한국의 인구구조 변화, 특히 급속도로 진행되는 고령화 현상과 생산활동 가능 인구의 감소는 1997년의 외환위기 때보다 더욱 심각한 영향을 한국경제에 미칠 것으로 우려하고 있다.

이런 가운데 데이빗 콜먼 옥스퍼드대 교수는 얼마 전 한국을 '저출산으로 인한 인구소멸국가 1호'가 될 것이라는 충격적인 발표를 했다. 실제 미국 중앙정보국(CIA)의 월드 팩트북을 보면 한국의 합계 출산율은 1.25명으로, 전 세계 224개국 가운데 세계 최하위권인 220위로 기록됐다. 따라서 현재의 출산율 하락을 방치할 경우 2100년이면 한국의 인구는 지금의 절반도 안 되는 2천만 명으로 줄어들고, 2300년이 되면 우리나라 인구는 단 5만 명밖에 남지 않아 사실상 소멸 단계에 들어갈 것이라고 진단했다.

실제 최근 한국의 초등학생 수를 보면, 감소의 폭이 놀라울 정도로 빠르다는 걸 알 수 있다. 2005년 402만 명이던 초등학생 수는 2014년에는 272만 명으로, 9년 전보다 130만 명이나 줄어들었다. 10년 사이 초등학생의 수가 68% 정도로 줄어들었으니 가히 충격적이다.

2014년 7월 9일 제10대 충북도의회 전반기 의장에 취임하면서 인구문제의 심각성을 알려야겠다는 생각에 제일 먼저 청주시 서원구 남이면 문동리에 사는 다둥이 가족을 방문했다. 11남매를 키우는 김학수(43)·김금려(38) 씨 부부는 어려움 속에서도 웃음을 잃지 않고 아이들을 잘 키우고 있었다.

나는 이들 부부에게 분유와 기저귀를 선물하고 "아이 키우기에 좋은 충북, 아이들 웃음소리가 가득한 희망찬 충북을 만드는데 미력하나마 힘을 보태겠다" 격려해 주고 돌아오는 것으로 첫 활동을 시작했다.

남이면 다둥이 가정의 슬픔

[기쁜 일은 서로의 나눔을 통해 두 배로 늘어나고, 힘든 일은 함께
주고받음으로써 반으로 줄어든다]

- 존 포웰 -

도정현안과 지역의정 활동으로 청주와 충주를 오가며 바쁘게 보내
던 6월 어느 날 다둥이네 집에서 안타까운 소식이 들려왔다. 다둥이네
집 마당에서 15개월 된 막내가 키우던 개에 물려 숨졌다는 뉴스 보도
였다.

다둥이네 집은 내가 의장에 취임 후 고통받고 소외된 어려운 이웃들
을 먼저 챙겨 보자는 생각에 의례적인 유관기관 방문에 앞서 제일 먼저
들렀던 곳이라 안타까움이 더 컸다.

충북에서 가장 많은 자녀를 둔 다둥이 가정은 허름한 집에서 살고
있었다. 화물 엘리베이터 수리기사로 일하는 아버지가 적은 봉급으로
생계에 어려움을 겪자, 아이들도 재활용품 등을 모아 집안 가계를 돕
고 있었다. 그런 환경 속에서도 아이들의 웃음소리가 끊이지 않고 화
목하고 단란하게 지내던 모습이 떠올랐다.

나는 그날 의정활동을 모두 미룬 채 다둥이네 집으로 바로 달려갔
다. 자식을 잃은 부모는 비통함에 실신한 듯 누워 있고, 막내의 죽음
을 목격한 충격에 말을 잃은 아이들은 슬퍼할 겨를도 없이 생계를 위
하여 거둬온 재활용품을 고사리손으로 묵묵히 분류하고 있었다.

삶의 긴 여정에서 우리를 가장 힘들게 하는 일은 가족 중 누군가가
갑자기 죽거나 심하게 아파하는 것을 보고 두려움과 절망의 상황에

부딪칠 때가 아닐까?

더러는
옥토에 떨어지는 작은 생명이고저……

흠도 티도,
금가지 않은
나의 전체(全體)는 오직 이뿐!

더욱 값진 것으로
드리라 하올 제,

나의 가장 나중 지니인 것도
오직 이뿐!

아름다운 나무의 꽃이 시듦을 보시고
열매를 맺게 하신 당신은,

나의 웃음을 만드신 후에
새로이 나의 눈물을 지어 주시다.

- 김현승 「눈물」 -

시인 김현승은 어린 아들을 잃고 이 시를 썼다고 한다. 다둥이 부모
와 재회하는 순간 '웃음을 만든 후에 눈물까지 지어주었다'는 시구

통일은 어느 날 갑자기 올 수 있다

처럼 소중한 막내를 잃고 눈물짓는 다둥이 부모의 슬픈 마음이 그대로 느껴져 마음 깊이까지 시려왔다.

자식을 키우는 부모로서 그 순간 어떠한 위로의 말도 전하지 못하고 그저 같이 눈물을 흘리며 등을 토닥여줄 수밖에 없었던 나는 이 사회의 어른으로서 또 부모로서 참으로 서글펐다.

사고를 당한 다둥이 가족 모두 정신적 충격으로 힘들어하고 있었고, 무엇보다 사고 현장을 지켜본 형제자매들은 극심한 트라우마에 시달리고 있어, 심리치료 등 적극적인 도움의 손길이 절실해 보였다.

이러한 다둥이 가정의 아픔을 조금이라도 덜어 주기 위하여, 충청북도의회를 주축으로 청주 KBS를 비롯한 유관기관과 함께 모금운동에 나서기로 했다. 충북도의회와 업무협약을 맺은 국제라이온스협회 김광득 총재에게도 간곡하게 도움을 요청했더니 국제라이온스협회에서 흔쾌히 1천만 원이라는 큰 금액을 모금해 주었다.

나는 이후 만나는 사람마다 "어려운 현실을 딛고 살아갈 힘을 낼수 없는 다둥이 가족에게 우리가 한 바가지의 마중물이 되어 주자"고 호소했고, "한겨울 같은 추위에 온몸과 마음이 얼어 있는 다둥이 가정을 우리가 따뜻한 손으로 어루만져 주어야 한다"고 협조를 요청했다.

이런 노력 덕분인지 바쁜 중에도, 많은 분이 다둥이 가정의 안타까운 사연에 귀를 기울여 주고, 따뜻한 관심과 애정을 보이면서 적지 않은 성금이 모여 이들에게 전달할 수 있었다. 특히 모금운동에 협조해 주신 청주 KBS 강영원 총국장께 지면을 빌려 깊은 감사를 드린다.

중국 속담에 '원수불구근화(遠水不救近火)'라는 말이 있다. '멀리 있는 물은 가까이에서 난 불을 끄지 못한다'는 뜻이다. 어려움에 처해 도움이 필요한 사람에게 도움의 손길을 내밀 수 있는 사람은 바로 가까이 있는 사람들이다. 우리의 작은 관심과 사랑이 다둥이 가정이 끝까지 포기하지 않고 꿈과 희망을 키우며 어려움을 이기게 하는 힘이 될 것이다.

모쪼록 다둥이 가정이 우리의 관심과 사랑, 보살핌 속에서 조속히 안전한 주거공간을 확보하고, 가족 간의 아픈 상처를 서로 보듬으며 이 힘든 시기를 잘 견디어 나가기를 간절히 바라본다.

통일은 어느 날 갑자기 올 수 있다

[분단 한국에서 태어난 것을 비극이라고 여기지 않고, 이뤄야 할 목표라고 생각하면 통일은 우리의 가장 큰 희망이 될 것이다]

- 법륜 스님 -

≪광복 70년, 분단 70년≫

2015년 8월 15일은 우리 민족이 일제(日帝) 식민지 통치로부터 해방되어 신생 독립국가로서 새로운 출발선에 선 지 70년이 되는 날이자, 분단 70년이 되는 뜻깊은 날이었다.

광복 70주년과 분단 70주년은 우리에게 어떤 의미가 있을까?

70년은 사람으로 보자면 노년기로 풍부한 경험과 삶의 지혜로 다져진, 참으로 노련미가 빛나는 나이이다. 그러나 우리는 아직도 외세에 의해 분단된 장벽을 아직까지 허물지 못하고 있다. 해방과 함께 닥친 민족 분단의 장벽을 그대로 안고 있기에 광복은 아직도 미완(未完)의 상태로 남아 있다.

지난 70년 동안 6 · 25전쟁으로 폐허가 된 가운데 변변한 자원 하나 없는 열악한 여건 속에서 대한민국이 이뤄 낸 눈부신 성과는 세계 어느 민족, 어느 국가도 하지 못한 일이다. 세계 사람들은 한국의 발전을 '한강의 기적'이라고 부른다. 국내 총생산(GDP)은 1953년 477억 원에서 2014년 현재 1485조 원으로 3만1천 배가 늘어 세계 13위의 경제 대국이 되었다. 1인당 국민소득도 67달러에서 2014년 2만8180달러로 420배가 늘었다.

최빈국(最貧國)이었던 한국은 세계 6위의 수출국으로 발돋움했다. 세계 모두 대한민국이 민족 간 내전(內戰)을 겪고 나서 대다수 신생 독립국가처럼 주저앉으리라 예측했지만 우리는 산업화와 민주화, 정보화, 세계화에 이르기까지 쉼 없이 발전해 왔다.

그러나 최근 저(低)성장 늪에 빠진 경제와 소득 양극화 문제는 심각한 수준에 이르렀다. 40개월째 흑자 행진을 하며 2015년 상반기 경상수지 흑자가 500억 달러를 넘어섰다. 사상 최대를 기록한 것이다. 그러나 수출이 부진한 상황에서 수입이 훨씬 적은 데 따른 불황형 흑자 현상이 나타나고 있다. 이는 우리 경제가 저성장, 만성적 불황의 늪으로 들어가는 신호라는 분석이 나오고 있다.

지난해 어느 언론사에서 세계적인 투자기관 6개사를 대상으로 통일 관련 설문조사를 실시한 적이 있다. 이때 글로벌 금융회사들은 남북통일은 국가 신용등급에 큰 호재라고 입을 모았다. 남북통일이 되면 단기적 통일 비용 우려에도 불구하고 중 · 장기적으로 국가 신용등급이 뛰어오를 것이라고 했다. 전쟁위험 국가로 '코리아 디스카운트'를 지불하던 한국이 세계 최고 수준의 신용도를 자랑하는 '프리미엄 경제'로 도약할 수 있다는 얘기다.

남북한 경제의 통합은 안보 불확실성을 해소하면서 이미 3%대로 떨어진 우리나라의 중·장기 성장률을 다시 끌어올리는 동력이 될 것이다. 이것이 바로 우리가 반드시 통일을 이뤄야 하는 이유다.

≪남북이 윈-윈하는 통일을 준비해야…≫

인구가 5천만 명이 넘고, 1인당 국민소득이 2만 달러가 넘는 나라는 한국을 포함해 전 세계에 7개국에 불과하다. 여기에 통일까지 된다면 이는 우리나라 전체가 세계로 더 높이 도약하는 기폭제가 될 게 분명하다. 세계적 투자가인 짐 로저스는 "통일이 된다면 한국은 가장 흥미로운 나라가 될 것이고, 대적할 나라가 없을 것이다. 통일은 이루지 못했지만 통일을 이루기 위한 움직임은 올바른 방향이다"라고 말했다.

올바른 방향으로 나아가는 좋은 예로, 최근 분단 70년을 극복하고 한반도 통일의 문을 열기 위한 민간차원의 교류가 활발해지고 있다. 하지만 지금 이 순간에도, "정말 남북통일이 이루어지겠느냐?", "통일 된다면 못 사는 북한 경제 때문에 통일 비용이 너무 많이 들어가 같이 못 살게 된다"라며 통일에 대해 의구심을 갖는 사람들이 꽤 있다. 조금만 시야를 넓혀, 더 멀리 내다본다면 통일로 인해 들어갈 비용보다 통일되었을 때 생겨날 이득이 훨씬 넘친다는 것을 금방 알 수 있을 것이다. 오죽하면 박근혜 대통령이 '통일은 대박이다'라고 했겠는가!

독일의 경우 1990년 통일 후 갈등과 구조적 경제문제들을 해결하기 위해 많은 통일 비용과 혹독한 시련을 겪었다. 그러나 25년이 지난 지금은 EU 국가들 중 가장 부유하고 영향력 있는 강대국의 지위를 지키고 있다.

물론 통일 초기 남한의 경제성장은 통일하지 않은 경우보다 떨어질 것이다. 통일 이익보다 단기적으로 들어가는 비용이 많을 것이기 때문이다. 그러나 시간이 지나면 통일 이익은 점점 늘어나고 통일 비용은 점점 줄어들기 때문에, '통일은 이윤이 크게 남는 장사'가 될 수밖에 없다. 즉 대박이란 표현이 맞는 말이다.

통일연구원과 고려대 아세아문제연구소에서 남북통일의 비용과 혜택을 비교, 분석한 결과, "북한 급변 사태 시에 독일처럼 단기간에 급작스럽게 정치 · 경제적 통일을 하지만 않으면 어떤 경우에도 통일 혜택이 비용을 능가할 것"이라고 했다. 과도한 통일비용에 대한 우려를 불식시키는 연구결과다. 실제로 통일 이익은 통일된 한국이 존재하는 한 계속 발생하는 이익이기 때문에 그 크기는 무한대이지 않을까 싶다.

이러한 시대적 흐름 속에서 충북도민을 대변하는 도의회 의장으로서, 대한민국의 국민으로서 "통일을 위해 무엇을 해야 할까?" 고민하지 않을 수 없다. "통일을 어떻게 준비해야 할까?"를 진지하게 생각하고 행동으로 실천하지 않을 수 없는 때이다.

통일 준비 중 가장 중요한 것이 통일 비용 마련이다. 독일 통일의 주역인 헬무트 콜 수상은, "베를린 장벽이 무너지기 불과 몇 달 전만 해도 독일 통일이 앞으로 20~30년 안에 이루어지면 다행이다"라고 생각하고 있었다. 독일 통일 사례에서도 보았듯이 통일비용 마련은 빨리 시작할수록 좋다. '통일복권', '통일 포인트 적립 카드' 발행 등 다양하게 통일재원 마련 방안이 거론되고 있다. 이러한 통일재원 마련은 단순히 비용 마련에 그쳐서는 안 되고 나아가, 통일에 대한 국민적 합의를 이끌어 내야 한다.

지난 7월 민간 차원에서 통일 준비 기금을 모으기 위해 만들어진 '통일 나눔 펀드'의 기부 참여자가 하루 평균 1,000명씩 늘어나면서 10만 명을 넘어섰다는 소식이다. 연령대도 5세 아이부터 97세 할머니까지 전 세대에서 참여하고 있다고 하니, 통일재원 마련뿐만 아니라 국민의 염원까지 모으는 좋은 예다.

　이제 통일을 향한 국민적 대화합을 만들어 내는 데 대한민국의 중심 충북이 선봉에 서야 할 때다! 그러기 위해선 먼저 충북도민의 통일 의지와 염원이 한데 모아져야 하고, 도민의 대변자인 도의회가 이를 위해 온 힘을 다해야 한다. 우리 충북도민 모두가 통일된다면 나는 무엇을 할 것인가, 어떤 도움을 줄 것인가에 대한 '충북도민 통일약정서'를 만드는 통일 약속 캠페인을 전개하는 것은 어떨까!

　더불어 통일 한국을 편견 없이 이끌어 나가며, 북한주민이 통일국가에서 행복한 국민으로 생활하기 위해 도움을 줄 수 있는 '통일인재'를 양성하는 것도 한 가지 방법이 될 수 있을 것이다.

　그동안 통일 문제는 정부에만 의존해 왔다. 그러나 독일 통일은 사실 마지막 단계에서 독일 국민들이 이끌어 냈다는 것을 상기한다면 이제 '우리가 힘을 다하면 민족이 합쳐질 것'이란 강한 신념으로 충북인들이 앞장서 나아가야 한다.

　거대하고 찬란한 역사의 물결을 이루기 위해 '포용과 긍정의 힘'으로 힘차게 가자! 100년, 200년 후에도 이 땅에서 살아갈 우리 후손들을 위해서 말이다.

사회를 구성하는 최소 단위이자 인간의 가능성을 최대로 발휘하는 조직이

기도 한 가정(家庭). 그곳은 벼랑 끝 생존경쟁에 지친 아버지가 가장

편안한 마음으로 쉴 수 있는 유일한 공간이기도 하다. 솔직히

말하면 나도 인생의 최소단위인 가정의 중요성을 알면서

도 이를 깨닫는 데는 많은 세월이 걸렸다. 젊은 시

절에는 바쁘게 산다는 핑계로 사회생활에 더

신경을 쓴 탓이다.

속시원

하게 살자

"한 번 맺은 인연을 소중히 여겨라"

"한 번 맺은 인연을 소중히 여겨라"

아내 이야기

[아내란 자신이 만들어낸 작품이란 것을 남편은 알아야 한다]

- 오노레 드 발자크 -

혼자 사는 남자보다 아내와 함께 사는 남자가 평균 수명이 더 길다고 한다. 이유가 뭘까? 정답은 긴장감을 풀어선 안 되기 때문이라고 한다. 삼성그룹 이건희 회장도 '신 경영어록'에서 이와 비슷한 메기론을 언급해 화제가 된 적이 있다. 즉, 논에 미꾸라지를 키울 때 메기를 함께 넣어서 키우면 미꾸라지들은 잡혀먹히지 않기 위해 항상 긴장한 상태에서 활발히 움직인다. 그래서 더 튼튼해질 수밖에 없다는 것이다.

기업도 마찬가지여서 적절한 긴장과 자극, 건전한 위기의식이 있어야 변화에 적응하는 능력이 생기고, 치열한 경쟁에서도 뒤지지 않고 계속

성장할 수 있다. 수족관이 있는 횟집에서 수족관에 작은 상어 한 마리를 풀어놓는 것도 이와 같은 맥락으로 해석된다.

우리 인생도 마찬가지가 아닐까? 아내가 있으면 항상 움직여야 한다. 나이가 들면 들수록 남편들은 아내 때문에 더욱 긴장하게 된다. 아내를 가진 남자는 평생을 긴장하며 항상 움직일 태세가 되어 있어야 한다. 나태해질 여유가 없는 것이다. 그 결과 남편들도 오래 살 수밖에 없다는 기막힌 논리를 전개하게 된다. 그런 면에서 남편의 수명을 늘려주는 아내란 참으로 고마운 존재가 아닐 수 없다.

나는 아내 이야기만 해도 감사함과 미안한 생각에 눈물이 나올 때가 있다. 그래서 아내라 부르지 않고 '중전(中殿)'이라고 부른다. 천하의 팔불출(八不出) 소리를 들어도 아내 자랑은 해야겠다. 아내는 과거에도 그랬고, 형편이 나아진 지금도 언제나 그렇듯이 미국에 있는 딸아이에게 아침저녁으로 정해진 시각에 전화통화를 한다. 나로서는 도저히 상상할 수 없을 정도로 정확하다. 미국과 한국은 14시간 이상 시차가 존재해서 밤과 낮이 완전 반대이다. 그래도 아내는 딸이 새벽에 일어날 수 있도록 매일 전화를 한다. 세상에 이런 여인이 없을 것 같다.

아들 동석이가 중학교를 졸업하고 미국에 유학을 간다고 했을 때에도 최악의 경제적 어려움으로 도저히 보내 줄 수 없는 상황이었다. 그런데도 아들이 유학을 간다고 하자 아내는 아이 생각대로 무조건 보내줘야 한다고 강력히 주장했다.

나는 친구들을 좋아하고, 선후배들을 좋아하다 보니 보증도 거리낌 없이 서주는 바람에 집안이 풍비박산(風飛雹散)이 났다. 그럼에도 아내는 내게 한 번도 화를 내거나 싸우지도 않았다. 부도가 난 이후에 나는 집에 쌀이 있는지, 어떻게 살림을 하는지 모를 정도로 무관심하게 지냈다. 그러는 동안에도 아내는 묵묵히 자기 몫을 다했다. 아내는 정성이 대단해서 아이들이 미국에 가 있는 동안에도 고추장, 된장, 마늘종 김치까지 항상 담가서 보낸다.

중국의 최대 갑부 알리바바의 창립자 마윈(馬雲)은 최근 강연을 통해 "어머니가 중요합니까? 아내가 중요합니까?"라는 질문에 멋진 답변을 남겨 아내들 사이에 그의 명언이 화제가 됐다. 아내가 중요하다는 그의 명쾌한 논리는 크게 여섯 가지로 요약된다.

첫째, 어머니가 나를 낳았기 때문에 어머니가 나한테 잘해주는 건 당연한 일이지만 아내는 장모님이 낳았기 때문에 아내가 나한테 잘해주는 건 당연한 일이 아니라 감사할 일이다.

둘째, 어머니가 나를 낳을 때의 고통은 아버지가 만들어낸 것이므로 아버지는 응당 어머니한테 잘해야지만 아내가 아이를 낳을 때 고통은 내가 만들어낸 것이므로 나는 응당 아내한테 잘해야 한다.

셋째, 내가 어머니를 어떻게 대하든 어머니는 영원히 나의 어머니지만 내가 잘못하면 아내는 남의 아내가 될 수 있다.

넷째, 어머니는 내 인생의 1/3을 책임졌지만 아내는 내 인생의 2/3를 책임진다.

다섯째, 아내는 나의 후반 인생을 보살피게 되므로 어머니는 아내에게 감사를 드려야 하고, 어머니의 후반 생애도 아내가 보살피게 되므로 나는 응당 아내에게 감사하는 마음을 가져야 한다.

여섯째, 장모님은 아내를 고생 한번 안 시키고 나한테 시집보냈다지만 아내가 시집와서 안 해본 고생을 겪게 한 것은 바로 나 때문이라는 요지였다.

나 역시 마원의 이야기에 공감한다. 나의 어머니는 이미 19년 전에 돌아가셨고, 아내는 지금도 나를 대신해서 주유소 일은 물론 아이들과 집안, 은행 문제까지 혼자 챙긴다. 요즘 들어서 더 많이 힘들어 하는 것 같다. 누적된 업무 스트레스에서 벗어나 쉬게 해주고 싶은데 그러지 못하니 답답할 때가 많다.

자식 이야기

[자식 키우기란 자녀에게 삶의 기술을 가르치는 것이다]

- 일레인 헤프너 -

부모라면 누구나 자기 자식에 대한 교육열은 남다를 수밖에 없다. 내가 부족하니 자식만큼은 더 잘 교육시키고 싶은 것도 인지상정의 마음일 것이다. 대부분 가정처럼 우리 가정도 아내가 자식들 교육을 철저히 챙겨주었기에 항상 감사한 마음을 갖고 있다.

아이들을 키우는 동안 내게도 어려운 일들이 많이 있었다. 사업하다 실패를 거듭하면서 아이들이 성장 과정에서 겪은 어려움도 이루 말할 수 없었으리라. 특히 혜영이와 동석이 둘 모두 서울에서 태어났지만 내가 도중에 사업에 실패하면서 모두 충주에 내려와서 학교를 다녔다.

큰딸 혜영이는 선배들과 거풍상사를 차려 동업하여 볼트, 너트를 팔던 시절 잠실에서 태어났다. 둘째 동석이는 단무지 무 재배 사업을 재개하고, 서울에 진출하여 왕성하게 일하던 시절 마포구에서 태어났다. 그러나 둘 다 충주에서 초중학교를 졸업했다.

"한 번 맺은 인연을 소중히 여겨라"

초등학교 시절 그 흔한 과외 한 번 못 시켰지만 아이들은 줄곧 반장을 했다. 혜영이는 충주여중과 충북과학고를 거쳐서 이화여대 신문방송미디어학과로 진학했다. 둘째 동석이는 충일중학교로 진학한 뒤에 2학년 때 학교장의 추천으로 방학을 이용해 미국으로 2주간 홈스테이 연수를 다녀왔다. 그 후 중학교를 졸업하자마자 갑자기 미국으로 유학을 가겠다고 선언했다. 당시 형편으로는 꿈도 꾸지 못할 일이었지만 아내의 강력한 권유로 동석이는 혈혈단신 가방 하나만 달랑 들고 미국행 비행기에 올랐다. 방학이 시작되었을 때 잠시 귀국했다 가라고 했더니 이 기간 동안 여행도 하고 아르바이트도 하면서 미국을 알고 싶다고 하는 것이었다.

이런저런 고민을 하던 나는 당시 미국에 있던 반기문 유엔총회의장 비서실장에게 편지를 보내 연결을 해줌으로써 동석이가 뉴욕대학교 대학원에 입학할 수 있는 꿈을 갖게 해주었다. 동석이는 미국 생활을 하는 동안 일본 레스토랑 종업원으로 아르바이트를 하면서 스스로 학비를 벌었다.

이후 미국으로 공부하러 간 사람들로부터 유학을 아이 혼자 보내면 망칠 수 있다는 이야기를 수없이 들었다. 안 되겠다 싶어서 큰딸 혜영이에게 "미국에 가서 동석이를 돌봐주라"고 요청했다. 내성적인 딸은 집을 떠나지 않는 스타일이었다. 이화여대를 1년 동안 다니면서도 매주 내려왔을 정도였다. 그런 딸을 설득해 미국에 보냈더니 "동생이 자기 말을 잘 듣지 않는다"고 불평을 해댔다. 하지만 결국 혜영이도 이화여대 1학년을 마치고 휴학을 한 뒤에 미국 대학에 편입해서 대학을 마쳤고, 미국에 간 지 4년 만에 뉴욕대학교 치과대학원에 입학했다. 혜영이는 치과대학원을 졸업하고 결혼해서 지금은 미국 보스턴 현지 병원에서 한국인 의사로 근무하고 있으며, 사위는 보스턴에 있는 터 프스대학교에서 전문의 과정을 다니고 있다.

동석이는 스톤릿지고등학교를 졸업한 뒤에 산타바바라대학을 마치고 뉴욕대학교 국제정치대학원에 입학했다. 대학원 시절 한인학생회장으로 활동할 때 봉사활동도 많이 했다. 당시 고구려의 역사를 중국역사에 편입시키려는 동북공정이 한창 이슈화되던 시절이었다. 동석이는 중국의 역사왜곡 사실을 민간외교관이 되어 널리 알리고 싶어 했다. 그래서 10월 30일부터 시작되는 할로윈 축제에서 고구려 옷을 입고 퍼레이드를 하고 싶다고 신청했다.

SBS 연개소문 장군 갑옷을 빌려 입고 행사를 하려면 1천만 원 정도 필요했다. 현대, 기아 등 대기업들이 도와주겠다는 의사를 피력했지만 스스로 해결해보겠다는 생각에 포털 사이트인 다음 아고라에 글을 올려 성금을 모아 행사를 추진했다. 아들은 그 후에도 한인의 밤 행사를 주관하는 등 다양한 활동을 했고, 대학원을 졸업하고 귀국해서는 1사단 도라 전망대에서 국방의 의무를 마쳤다. 그리고 MBN 방송국에 입사해 현재 정치부 국회 출입기자로 활동하고 있다.

행복한 인생의 출발점은?

[가정은 건축물이 아니다. 비록 작고 초라해도 사랑이 넘친다면, 그곳이 바로 가장 위대한 집이 된다]

– 헨리 포드 –

"한 번 맺은 인연을 소중히 여겨라"

'어머님 은혜'를 부르면 자연스러워도 '아버님 은혜'를 떠올리면 왠지 어색하다. 사회를 구성하는 최소 단위이자 인간의 가능성을 최대로 발휘하는 조직이기도 한 가정(家庭). 그곳은 벼랑 끝 생존경쟁에 지친 아버지가 가장 편안한 마음으로 쉴 수 있는 유일한 공간이기도 하다. 솔직히 말하면 나도 인생의 최소단위인 가정의 중요성을 알면서도 이를 깨닫는 데는 많은 세월이 걸렸다. 젊은 시절에는 바쁘게 산다는 핑계로 사회생활에 더 신경을 쓴 탓이다.

여유가 없던 시절 우리는 13평 아파트, 그것도 5층 꼭대기에 방이 두 칸인 곳에서 살았다. 아이들이 둘이 있고, 내가 장남이니 어머니를 모시고 동생들 둘과 7명이 좁은 방에서 지냈다.

그 시절 나는 주변 선후배들과 노닥거리느라 항상 새벽 2~3시가 되어야 집에 들어갔다. 젊은 시절을 그렇게 보내고 아이들이 중고등학교에 갈 때가 되자 이렇게 살아서는 안 되겠다는 생각이 들었다.

사회생활의 구심점을 사회가 아니라 가정에 두어야 한다는 것을 뒤늦게 깨달았다. 즉, 가정에 충실히 하는 것이 곧 사회에 충실히 하는 것이라는 생각을 하게 된 것이다. 이후 나는 아무리 어렵고 힘든 바쁜 생활 속에서도 가정생활에 충실히 하려고 무던히도 노력을 해왔다. 지난날을 되돌아보면 가정에 부족한 것이 많았고, 대부분이 가정에 충실하지 못했던 시간이었다.

이상하게도 우리 아이들은 중학교를 졸업하면 모두 집을 떠나서 공부했다. 큰애는 과학고 기숙사 생활을 1학년 때부터 했고, 둘째 아이는 중학교를 졸업하고 곧바로 미국으로 떠났다. 이후 아내와 나는 단둘이서 산다. 아내는 내가 집에 들어가지 않으면 잠을 자지 않는다.

아리스토텔레스는 사람들이 행복이라고 믿기 쉬운 네 가지가 있다고 주장했다. 관능적 욕망을 추구하는 대중은 쾌락을 행복이라 여기며, 귀족 계급은 명예를 행복이라고 여기고, 또 식견 있는 사람은 덕(德)을 행복이라 여기며, 실업가는 재산을 행복과 동등하게 여겼다. 그러나 이 네 가지가 결코 행복이 될 수 없다고 했다. 행복과 무관한 것은 아니지만 행복 자체는 아니라는 것이었다.

개인적인 주관이지만 인생을 살아가는 데 가장 중요한 것은 가정의 평화와 행복이 아닌가 싶다. 행복한 가정이 이웃을 행복하게 만들고, 이웃이 행복하면 사회를 행복하게 만들고 결국은 국가 전체를 행복하게 만드는 요체라는 생각이 든다.

세상이 바람직하지 않게 흘러가는 것도 조직의 최소 단위인 가정에 문제가 있기 때문이다. 가정에서 충실한 교육과 원만한 생활이 이루어진다면 그것은 곧 사회로 연결될 것이고, 그러면 지금처럼 범죄가 횡행하는 일탈된 사회의 모습은 나타나지 않았을 것이다. 그런 의미에서 가정을 이끌어가는 가장들은 가정의 행복, 평화, 안정을 위해 더욱 부단한 노력을 기울여야 한다.

지혜의 마중물, 유레카 포럼

[배움은 우연히 얻어지는 것이 아니다. 열성을 다해 갈구하고 부지런히 집중해야 얻을 수 있는 것이다]

– 에비게일 아담스 –

일찍이 괴테는 '가장 유능한 사람은 배움에 가장 힘쓰는 사람'이라

"한 번 맺은 인연을 소중히 여겨라"

고 했다. 사람이 태어나서 배우지 않으면 어두운 밤길을 가는 것과 같다는 말도 있다. 이처럼 배움은 미래와도 연결된다. 사람이 끊임없이 배워야 하는 이유다. 우리 선조들은 배우는 것을 무척 즐기고 소중하게 생각했다. 오죽하면 세상을 떠나는 사람의 관 뚜껑에 현고학생부군신위(顯考學生府君神位)라고 써놓고 '이 사람은 죽을 때까지 배우다간 사람'이라고 했을까? 배움은 끝이 없기에 죽는 그 순간까지 배워야 생명력 있는 삶을 살아간다고 할 수 있다.

2014년 말 (사)성공자치연구소로부터 청주권 지식인들을 망라하는 조찬 포럼을 만들어 운영하겠다는 이야기를 듣고 큰 기대를 하게 됐다. 나 또한 적극 동참하겠다는 의사를 밝혔다.

성공자치연구소는 교육 전문기관이자, 강사양성 전문기관으로 소문나 있다. 깨달음을 준다는 의미를 담고 있는 유레카 포럼(EUREKA FORUM)은 매월 한 차례 조찬모임을 하면서 명강사를 초청해 강연도 듣고 친목도 도모한다. 그런데 막상 참여하겠다고 의사는 밝혔지만 충주에서 출근하는 나로서는 여간 힘든 일이 아니었다.

그러나 회를 거듭할수록 내가 경험하지 못한 다양한 강사들을 접하면서 강연의 세계에 흠뻑 빠져들고 말았다. 그동안 몰랐던 새로운 세상 이야기를 듣다 보면 새벽 일찍부터 달려온 보람을 느꼈고, 강연을 듣고 출근한 날은 세상을 보는 눈이 점점 더 달라지고 있다는 느낌을 받았다.

사실 아침 7시 청주에서 열리는 조찬 포럼에 매번 참석하기에는 고도의 인내가 필요한 일이었다. 유레카 포럼이 열릴 때마다 나는 새벽 4시에 일어나 6시 50분쯤 라마다플라자 청주호텔에 도착한다. 그럼에도 매번 빠지지 않고 포럼에 참여하면서 최고의 만족감을 느끼고 있다. 내 머릿속을 가득 채우는 미처 맛보지 못한 미지의 세상을 유명 강사를 통해 듣고 내 것으로 소화하는 기쁨에 한없는 희열을 느끼기 때문이다. 유레카 포럼에 참여하면서 그동안 우물 안 개구리처럼 살아왔다는 생각이 들었다. 여전히 강연을 들으면서 내가 나가야 할 방향을 점검하는 소중한 시간이 되고 있다.

지난 5월 유레카 포럼에서 나는 전라북도 고창군청에 근무하는 김가성 신림면장으로부터 '180억 공무원'을 주제로 강연을 들었다. 단돈 3천만 원의 예산으로 청보리밭축제를 개최하여 180억 원에 달하는 경제 효과를 거둔 성공담이었다. 김가성 면장의 축제 비화 이야기를 들으면서 마치 나의 일인 것처럼 신이 났다. 그러면서 더 많은 CEO와 공직자들이 유레카 포럼에 참여하여 명강사들의 이야기를 경청했으면 하는 아쉬움이 들었다.

나는 도의원을 하는 동안 공무원들에 대한 불신이 머릿속을 떠나지 않았다. 주민들은 민원을 들고 공무원을 찾아갔다가 해결이 되지 않으면 마지막으로 지방의회 의원들을 찾아와서 해결해달라고 도움을 요청한다. 물론 공무원이 어렵다고 한 일은 지방의원에게도 처리하기 어려운 내용들이 대부분이다. 그러나 민원인 처지에서 보면 무언가 마지막 기대를 걸고 지방의원들을 찾아오는 경우가 많다.

민원인 이야기를 듣다 보면 분개를 할 때가 있다. 법으로 안 되는 것은 안 되는 것이다. 그러나 만일에 되는 해결방안이 있다면 최선을 다해 되는 쪽으로 민원을 처리해주어야 하고, 정말로 안 되는 민원이라고 하면 안 되는 이유와 사유를 상세하게 설명해야 한다. 민원인이 납득한 상태에서 발걸음을 돌리도록 하는 것이 공무원의 임무다. 그런데 일부 공무원은 거꾸로 분노를 일으키게 하는 경우도 있다. 민원인들은

"한 번 맺은 인연을 소중히 여겨라"

일의 성사 여부를 떠나 인간적으로 모멸감을 느끼거나 충분히 이해를 하지 못한 상태에서 불만을 느끼는 경우가 많다.

공무원이 바뀌어야 나라가 바뀐다. 공무원은 행정적으로 나라를 이끌어가기도 하지만 국민을 한없이 애타게 하기도 한다. 평소에 이런 생각을 갖고 있던 나로서는 이날 강연에 나선 김가성 면장이 계장 시절에 3천만 원을 가지고 축제를 성공적으로 이끌었다는 이야기를 듣고 '거액의 예산을 투자하고도 제 몫을 못하거나 쓸모없는 사업을 추진하여 주민들의 원성과 빈축을 사는 시대에 이렇게 훌륭한 공무원도 있었구나. 이런 공무원이 1천 명만 있어도 나라가 확 바뀔 것'이라는 확신을 하면서 이런 자리에 많은 지방 공무원들과 지방의회의원들이 함께 참여해서 경청한다면 얼마나 좋을까 하는 생각도 해보았다.

'사람이 답이다'를 주제로 유레카 포럼의 첫출발을 했던 마이다스 아이티 이형우 대표의 강연은 자동승진제도·無 스펙 채용·無 정년제 등의 파격적 인사제도를 통해 "회사의 성공 비결은 바로 사람"이라는 혁신적인 경영철학을 선보여 참석자 모두에게 신선한 이미지를 각인시켰다. 마이다스 아이티는 대한민국 최고의 구조설계 소프트웨어 기업으로 통하는데 자유분방한 근무 환경에서 최고의 성과를 도출해 연 매출 1천억 원 이상을 올리고, 5백대1의 입사 경쟁률을 자랑하는 국내 최고의 중소기업이다.

'독서로 위대한 인생을 사는 법'을 주제로 강연했던 김병완 작가가 삼성전자 직원으로 안정된 생활을 하다가 어느 날 갑자기 회사를 그만두더니 부산으로 이사했다. 그리고 그곳 도서관에서 3년 동안 1만 권의 책을 독파하고 그 후 2년여 동안 50여 권의 책을 출간해 베스트셀러 작가로 등단한 입지전적인 사계다. 그로부터 "독서는 시간 날 때

하는 것이 아니라 목숨을 걸고 해야 한다"는 이야기를 듣고 큰 충격을 받았다.

테너 가수 최승원 교수로부터는 'Why not?!(왜 안 되겠니?!)'이라는 주제로 강연을 들었다. 그는 4살 때 소아마비를 앓아 지체장애 2급의 중증 장애를 갖게 되었음에도 음악에 대한 꿈을 포기하지 않고 도전했다. 현재 전 세계 대통령과 수상들로부터 공연 초청을 받을 정도로 세계 최고의 성악가가 된 이야기를 듣고 진한 감동을 했다.

맛집과 요리에 열광하는 셰프(Shef) 열풍

[인생은 마치 요리와 같다. 인생도 요리처럼 좋아하는 게 무엇인지 알려면 일단 모두 맛부터 보아야 한다]

- 브라질 소설가 파울로 코엘료 -

최근 들어서 맛집과 요리에 열광하는 셰프(Chef, 요리사) 열풍이 전국적으로 거세게 불고 있다. 바야흐로 셰프 전성시대처럼 느껴진다. TV에서는 전문 요리사들이 나와 화려한 요리를 선보이고, TV는 맛집을 소개하는 프로그램들로 넘쳐나고 있다. 예능 프로그램 출연자들도 숨은 요리 실력을 뽐내느라 여념이 없다. 광고에서도 경쟁적으로 인기 요리사들을 전면에 내세운다. 드라마의 배경도 레스토랑이거나 주인공들의 직업이 요리사인 경우가 많아졌다. 남들보다 더 특별한 선물을 주려는 아빠들은 일일 셰프를 자청하며 자녀들에게 줄 맛있는 요리를 만들고 있다. 아빠와 자녀가 함께 요리를 하면 유대감도 강화되고, 자녀들의 학업 스트레스 해소와 힐링에도 도움을 준다는 것이 전문가들의 설명이다.

나는 어릴 때 형제들이 많았다. 그래서 늘 배가 고팠다. 잘못 먹고 자란 탓인지 키도 160cm이다. 그래서 아이들만큼은 잘 먹이면 키가 클 것이라는 막연한 생각을 갖고 있었다. 우리는 어려운 형편 속에서도 삼겹살과 상추, 된장을 늘 냉장고에 준비해놓고 아이들이 학교에 갔다 오면 언제든 먹을 수 있도록 했다. 삼겹살과 우유를 항상 떨어지지 않게 냉장고에 준비를 해놓은 덕분인지 아들은 쑥쑥 자라 185cm까지 컸다.

나는 아내와 주방 일을 함께한다. 요리는 선천적으로 손맛이 있어야 하고, 감이 있어야 한다. 나는 된장찌개를 잘 끓인다. 아내는 요리 솜씨뿐만 아니라 된장, 고추장, 간장을 잘 담근다. 우리 집 된장으로 찌개를 끓이면 맛이 일품이다.

밑바탕을 이루는 재료가 좋으면 음식 맛도 좋아진다. 아이들은 국물만 먹어도 엄마가 끓인 된장찌개인지 아빠가 끓인 된장찌개인지 금방 구분한다. 딸은 내가 끓인 게 엄마가 만든 된장찌개보다 더 맛이 있다고 한다.

나는 낙지볶음 요리도 잘한다. 요리를 정식으로 배운 적은 없지만 단무지 공장을 하면서 주워들은 것들이 많다. 아이들은 라면도 내가 끓이면 더 맛이 있다고 한다. 나보다는 아내가 음식 솜씨가 좋은데도 미국에 가 있는 딸은 지금도 내가 끓인 된장국을 못 잊어한다.

평생 부엌에서 음식을 만들어 본 적이 없다고 말하는 중년 가장도 있다. 하지만 요즘은 세상이 바뀌었다. 맞벌이 부부가 일상화되면서 요리에 관심을 두는 남자들이 점점 늘고 있다. 그런 면에서 볼 때 세프 열풍은 권위적인 한국 남자들을 개화시키는데 한몫했다는 긍정적 평가를 받을 만하다.

한국 드라마가 세계에 수출되고 현지에서 인기리에 방영되면서 한국 드라마를 본 외국인들은 온 가족이 밥상에 앉아 화목하게 식사하는 장면이 자주 등장하는 것을 보고 무척 부러워한다고 한다. 가족은 식구라고도 부른다. 오죽하면 가족의 다른 이름이 '같이 밥을 먹는 사람'이란 뜻을 가진 식구이겠는가?

하지만 드라마와 달리 우리의 실상은 정반대로 치닫고 있다. 우리나라도 4가구 중 1가구가 1인 가구라는 통계에서 보듯, 현실은 가족들이 모여서 함께 밥을 먹는 모습을 그리워하는 시대가 됐다. 그래서 여유 없이 사는 사람들은 식사도 즐기는 것이 아니라 때우는 것으로 인식한다.

예전처럼 먹을 것이 없어 끼니를 걱정하는 시대도 아닌데 왜 이렇게 음식 먹는 것에 열광하게 되었을까? 맛있는 음식을 먹는 상상은 누구에게나 즐거운 기쁨이다.

어려움을 겪거나 절망적인 상태에 이르면 인간은 생존본능에 따라 먹는 것에 집착한다. 이는 인간이 섭취하는 음식물의 에너지가 단순히 근육운동이나 소화, 호흡 같은 대사활동 이외에 두뇌의 작용에도 상당 부분 소요되기 때문이다.

수험생에게 엿을 사다 주는 전통에서 볼 수 있듯이 정신을 집중하여 판단하거나 중요한 결정을 할 때도 많은 에너지를 소비한다. 사람들이 배고플 때 더 날카로워지고, 화를 잘 내는 것도 이 때문이다. 항공업계에서는 '배부른 자는 말이 없다'라는 속설이 있다고 한다. 비행기가 연착이 예상되는 경우 승무원들은 승객들에게 음료나 사탕을 돌린다. 그러면 연착으로 짜증을 내거나 항의하는 사람이 줄어든다고 한다.

온종일 힘들게 지내고 지친 몸을 이끌고 집에 돌아왔을 때 먹는 맛있는 음식은 배고픔도 해결하고, 정신적, 육체적 피로를 해소해주는 탈출구 역할을 한다고 한다.

집밥을 해줄 사람이 없는 독거노인이나 홀로 사는 학생, 직장인들이 손수 끼니를 해결해야 하는 상황에서 요리에 관심을 두는 것은 절실하고도 당연한 일일지도 모른다.

연애, 결혼, 출산을 포기하는 '3포 세대' 젊은이들이 '먹방'이나 요리에 열광하는 건 사회적 욕망과 성취를 누리기 힘든 시대를 살아가는 걸 보여주는 것 같다. 이러한 것들이 젊은이들에게 도움이 될 수 있을지에 대해서는 회의적인 생각이 든다. 셰프 열풍이 맛있는 음식을 즐기는 것으로 자기 위안을 삼아야 하는 고단한 사회상을 반영하고 있다는 점에서 보면 왠지 씁쓸한 느낌도 든다.

한번 맺은 인연을 소중히 여겨라

[진정한 인연과 스쳐 가는 인연은 구분해서 인연을 맺어야 한다. 진정한 인연이라면 최선을 다해서 좋은 인연을 맺도록 노력하고, 스쳐 가는 인연이라면 무심코 지나쳐버려야 한다]

- 법정 스님 -

'운명이라고 하죠. 거부할 수가 없죠. 내 생에 이처럼 아름다운 날 또다시 올 수 있을까요.

가수 이선희는 〈인연〉이라는 노래에서 운명적이고, 거부할 수 없고, 아름다운 것을 인연이라고 설명한다.

나 역시 인연을 소중히 여긴다. 인간관계는 인연의 연속이라고 해도 과언이 아니다. 처음에 맺은 인연을 귀하게 여기고 소중하게 대하면 그 인연은 더 큰 자산이 되어 내게 돌아온다는 것을 지금까지 살아오면서 실제로 느꼈다.

한 사람 한 사람 살아온 인연도 중요하지만 맺은 인연을 얼마나 소중하게 가슴에 품고 가는가는 더 중요하다. 부족한 내가 이렇게 살아갈 수 있는 것도 인연을 소중히 생각하고 인연의 끈을 아름답게 간직하기 위해 무던히 애를 써온 덕분이다.

나는 어려운 환경에 부딪칠 때에도 수십 년 동안 내가 만났던 사람들과의 인연을 아름답게 만들기 위해 노력했다. 때로는 밤잠을 줄이면서까지 상대방의 이름을 외워 더 좋은 인간관계를 형성하려고 했고, 기록한 자료들을 샅샅이 훑어보면서 잘 된 인연은 더 잘 되게 가꾸려고 애썼다.

잘못된 인연으로 만난 경우일지라도 더 아름다운 인연으로 바꾸기 위해 많은 노력을 기울였다. 그 결과 나를 적대적으로 대하는 사람은 손에 꼽을 정도로 줄어들었다. 간혹, 만나본 적도 없는 사람들이 자신과 의견이 다르다는 이유로 비판하는 경우는 있다. 그러나 의견이 다를수록 자주 만나서 서로의 주장과 논리를 전달하는 기회를 만드는 것이 필요하다.

이런 습관은 웅변, 동문회 사무국장, 각종 사업경험, 주재기자, 국회의원 정책보좌관, 도의원 생활을 거치면서 나보다 십 년, 이십 년 연배인 사람들과 만나 대화를 나누는 동안 자연스럽게 몸으로 터득했다. 그 결과 나는 또래보다 선배들과 더 잘 어울리면서 살아가고 있다.

덕분에 인생의 희로애락도 일찍 체험했고, 삶의 지혜를 깨우치면서 사회활동을 할 여건도 자연스럽게 형성됐다. 언제, 어느 때 맺어지든 운명적이고, 거부할 수 없는 아름다운 인연을 만들려면 상대에게 최선을 다해야 한다. 이런 것이 모여서 나의 양심을 만들어주고, 내 인생에 큰 자양분이 되고 있다.

하루는 나에게서 도움을 받은 분이 싱싱한 민물장어 서너 마리를 구해다 줬다. 장어는 보양식으로 피로해소와 노화방지, 정력증강에 효능이 뛰어나다. 장어를 보는 순간 병마에 시달리는 선배에게 드려야겠다는 생각이 들었다. 문제는 싱싱한 채로 서울까지 이송해야 한다는 것, 그런데 장어를 산 채로 급속냉동을 시켜 가져가면 싱싱하게 다시 살아난다는 이야기를 듣고 얼음을 가득 채워서 서울에 올라가자마자 꺼냈더니 정말로 민물장어가 살아서 움직이는 것이었다. 진정으로 생각하는 마음이 있으면 해법도 찾아진다는 소중한 경험을 하게 됐다.

나는 추석이 되면 오랫동안 거래를 해온 농가에 부탁해 서울 등 외지에서 생활하는 고향 선후배들에게 햅쌀을 한 봉지씩 포장해서 보낸다. 그리고 전화도 자주 한다. 그리 가까운 사이가 아니더라도 문득 생각이 나는 사람들에게 즉석에서 전화로 안부를 묻는다. 나이 드신 어르신들은 통화 한 번 한 것으로도 무척 반가워하신다. 아내는 무슨 전화를 그렇게 오래 하느냐고 핀잔을 주지만 이런 것들이 일상화되다 보니 인간관계가 원만하게 이루어지는 것 같다. 용건이 없어도 그저 스스럼없이 격의 없게 대하고 전화를 하는 것도 많은 사람과 교분을 다지는데 도움이 되고 있다.

반기문 유엔사무총장을 흠모하는 일본인 요코야마 회장

[기운이 큰 사람에게는 많은 사람이 인연으로 오고, 기운이 작은 사람에게는 적은 사람이 온다]

– 정법 명언 –

요코야마 회장은 올해 나이 74세인 일본 미용협회 명예총재이다. 2009년 무렵 안영자 충주시미용협회장의 소개로 요코야마 회장을 만났다. 그는 나를 만나자마자 "반기문 유엔사무총장 선영에 있는 광주 반씨 사당에서 제사를 지내고 왔다"며 "반 총장은 인류역사상 가장 훌륭한 사람이니 세계 인류의 한 사람으로 감사를 드려야겠다. 반기문 유엔사무총장을 직접 만나고 싶다"고 하는 것이었다.

그와의 첫 만남은 그렇게 헤어졌다. 이듬해 봄에 그가 또 한국에 들어왔다. 반기문 선산에 가서 성묘를 하고 왔다는 그는 이번에는 자당 어르신을 만나게 해 달라고 요청했다. 바쁜 일정 때문에 더 이야기를 나눌 수 없어서 다음에 보자 하고 서둘러 헤어졌다. 그런데 그해 가을에 또 한국에 와서 반기문 총장 선산에서 성묘를 지내고 나를 찾아왔다.

2년째 성묘를 하고 사당에 참배하는 열정을 보니 요코야마 회장에게 신뢰가 느껴졌다. 3년째 되던 해 봄에 그는 또다시 한국을 찾아와 반기문 총장 선영에 들렀다 왔다면서 총장님을 만나게 해 달라고 하는 것이었다.

"한 번 맺은 인연을 소중히 여겨라"

3년째 지속적으로 성묘하고 참배하는 모습을 보자 그의 진정성에 신뢰가 갔다. 그해 나는 반기문 총장에게 편지를 써서 그동안 일본 미용협회 명예총재 요코야마 회장과 있었던 일들을 자세히 소개하고 정성이 갸륵하니 한번 만나주시면 좋겠다고 말씀을 드렸다. 편지를 받은 반 총장도 "만나보겠다. 대신 일본에 갈 순 없으니 뉴욕에서 만나겠다"고 했다.

　딸 혜영이가 뉴욕대학교를 졸업하는 날 미국에서 만남을 주선하기로 했다. 이 소식을 요코야먀 회장에게 알리자 반가워 어쩔 줄 몰라 했다. 드디어 딸 혜영이가 졸업식을 하던 날 요코야마 회장을 반기문 총장이 계신 관사로 모시고 갔다. 요코야마 회장은 반기문 총장을 반갑게 만나 세계평화에 대해 의견을 나누고 헤어졌다.

　요코야마 회장은 그해 가을에도 또 한국에 왔다. 반기문 선영에 들러 성묘도 하고 사당에서 참배한 뒤에 자당 어르신께 음식 대접을 하고 싶다고 해서 함께 식사를 했다. 요코야마 회장은 지금도 해마다 두 번씩 한국에 와서 반기문 선영과 광주 반씨 사당에 참배하고, 올 때마다 내게 전화를 한다. 그는 유엔 기(旗)를 늘 갖고 다닌다. 유엔기를 품 안에 품고 다니면서 세계평화를 위해 노력하는 반기문 총장의 기를 받는다고 말한다. 그가 가슴에 품고 다니는 유엔기는 아주 특별한 기(旗)이다. 일본의 유명한 산악인에게 의뢰하여 그 산악인이 에베레스트 정상에 가서 꽂았던 유엔 깃발이다.

　반기문 총장과 맺어준 인연으로 요코야마 회장은 나를 일본에서 열리는 세계미용인협회 모임에 초청했다. 중국, 대만, 한국, 스리랑카를 비롯하여 전 세계 미용인협회회원들이 모인 자리였다. 그는 일본 전역에 65개의 미용실 지부를 갖고 있었다. 세계미용인대회를 열면 수천 여

명이 참석한다. 대회 기간 동안 이들은 호텔에서 세미나도 열고, 나라별 친선활동도 벌인다. 덕분에 일본의 뷰티 산업을 살펴볼 수 있었다. 나도 답례 차원에서 요코야마 회장을 한국에 초청하여 한국의 분단현실을 알 수 있도록 제3땅굴과 판문점, 문산, 도라산 전망대를 돌아보게 하는 등 지금까지 요코야마 회장과 특별한 인연을 이어가고 있다.

내 인생의 종착점, 대한민국 최고의 명강사를 꿈꾸며

[처음부터 가슴 뛰는 꿈은 없다. 다만 가슴이 뛸 때까지 일하는 것이다. 열정은 성실을 먹고 자란다]

- 스타강사 김미경 -

　나는 강사다. 지금은 보잘 것 없지만 언젠가는 대한민국 최고의 명강사가 되겠다는 꿈을 꾸고 있다. 최근 들어 국내에도 강사들의 활동무대가 넓어지고 있다. 단순한 지식을 전달하는 학원 강사에서, 학교나 대학에서 전공 과목을 가르치는 전문 강사, 기업에서 직원들의 변화마인드를 이끄는 기업 강사, 지자체에서 시민들을 대상으로 하는 폭넓은 교양과 동기부여 역할을 하는 대중 강사에 이르기까지 강사의 역할과 영역도 점차 넓어지고 있다.

　나는 웅변(雄辯)에 첫발을 들여놓았다. 조리 있고 막힘없이 당당하게 말하는 웅변세계에 뛰어들면서 새로운 세상을 경험했다. 또한 배운바도 크다. 그 첫째는 웅변반 선배들과 함께 지내면서 윗사람들과 조화롭게 지내는 삶의 지혜다. 두 번째, 손발이 아닌 말로 먹고 사는 세상도 있다는 사실에 눈을 뜬 것도 웅변을 통해서였다.

웅변대회 대통령상을 받으면서 자신감을 갖게 되었고, 성공자치연구소 명강사아카데미 과정을 수료하면서 강사라는 직업에 매력을 느끼기 시작했다. 지금은 도의원이자 도의회의장으로써의 막중한 임무를 수행하느라 강사 활동에 매진하지 못하고 있다.

강사는 과거의 단순한 정보 전달자에서 벗어났다. 가이드의 역할, 비전을 제시하는 컨설턴트의 역할에서 변화를 일깨우고 성공을 이끄는 멘토(Mentor)의 역할까지 요구되고 있다. 나도 그동안 살면서 느꼈던 여러 가지 소중한 경험들을 진솔한 이야기로 들려주면서 동시대를 살아가는 사람들에게 작게나마 도움을 주고 싶다.

내가 살아온 삶이 하나의 참고가 되어 그들이 험난한 인생을 헤쳐나가는데 작은 보탬이라도 된다면 그 자체만으로도 가치 있는 일이 아닐까? 나이가 들수록 내가 잘 할 수 있는 일을 하면서 인생을 마무리한다면 이보다 더 행복한 삶은 없다고 생각한다. 누군가로부터 "다시 인생을 산다면 꼭 해보고 싶은 것이 무엇인가?"라는 질문을 받는다면 나는 "명강사가 되어 전국을 다니며 강의를 하고 싶다"고 대답할 것이다. 향후 도의원생활을 마무리하면 강사가 되어 주변 사람들에게 도움이 되는 새로운 삶을 살아가고 싶다.

내가 본 반기문

(아들 이동석, 현 MBN 국회출입 기자)

〈첫 번째 뉴욕 방문기〉

[유엔사무총장만이 앉을 수 있는 그 자리로 나의 발길이 이어졌다. 당당하게 앉아보았다. 본회의장에는 총장님과 나 말고는 아무도 없었고 나의 심장은 터질 것만 같았다]

지난 2002년 5월, 나는 아버지의 권유로 뉴욕을 방문했다. 미국 유학길에 오른 지 1년하고도 3개월이 지난 이후였다. 아버지는 자세한 설명은 뒤로한 채 "뉴욕으로 가라!"고 말씀하셨다. 그때 내 나이는 만 15살이었다. 캘리포니아에서 유학 도중 처음으로 떠나는 여행이었고, 뉴욕이라는 여행지는 나를 더욱 설레게 했다.

뉴욕에 도착한 나는 공항에 미리 마중 나온 총장님의 비서관과 함께 뉴욕의 도심 맨해튼으로 이동했다. 충주에서 자라고 미국의 시골에서 유학한 나에게 뉴욕의 도심은 그야말로 충격 그 자체였다. 허리를 뒤로 제치고 목을 뒤로 꺾어도 끝이 보이지 않는 높은 건물들 자체가 세계 1위 도시임을 증명했다.

나는 총장님 내외분이 머물고 계신 뉴욕의 한 아파트로 향했다. 당시 기억으로는 세계에서 가장 높은 아파트라고 들었는데 엘리베이터 속도가 나를 놀라게 할 만큼 아파트의 위상 또한 어마어마했다.

숙소에 도착한 나는 사모님께서 손수 차려주신 점심을 먹었다. 사모님은 내가 점심을 먹는 내내 지켜만 보셨다. 얼마나 어려 보였을까? 혈혈단신 미국으로 유학을 와 삐쩍 마른 나의 모습에 사모님은 분명히 안타까워하셨을 것이다. 나는 거실에 자리를 잡았다. 총장님이 머물고 계신 아파트에는 방이 2개가 있었는데 하나는 총장님 내외분, 그리고 나머지는 따님분께서 생활하고 계셨다. 거실에는 그동안 총장님

"한 번 맺은 인연을 소중히 여겨라"

내외분께서 함께 활동하신 유명 인사들의 사진들이 있었다. 총장님께서 퇴근을 하시고 우리는 저녁 식사를 하러 뉴욕 시내로 나갔다.

다음 날 아침, 총장님께선 새벽 일찍 일어나셨다. 시차 적응이 안 돼 일찍 일어나 있었던 나는 바로 총장님을 따랐다. 총장님은 걸어서 출근을 하셨다. 처음으로 들어간 유엔본부. 까다로운 검문검색을 마치고 총장님의 사무실로 올라갔다. 총장님께서는 그때 당시 한승수 유엔총회의장 비서실 실장으로 재직 중이셨다. 겉으로 보이기엔 유엔본부 건물이 웅장했지만 사무실은 단조롭게 구성돼 있었다.

총장님은 사무실 직원을 소개시켜 주시며 "나중에 이런 훌륭한 사람들이 되어야 한다"고 강조하셨다. 총장님께서는 나를 본회의장으로 이끄셨다. 전 세계의 대통령으로 불리는 유엔사무총장만이 앉을 수 있는 그 자리로 나의 발길이 이어졌다. 당당하게 앉아보았다. 본회의장에는 총장님과 나 말고는 아무도 없었고 나의 심장은 터질 것만 같았다.

총장님은 그날 바쁜 일정이지만 나를 위해 특별히 시간을 내어 주셨던 것으로 기억한다. 총장님은 까마득한 후배를 데리고 뉴욕 곳곳을 구경시켜 주셨다. 뉴욕의 박물관, 센트럴파크, 컬럼비아대학교, 뉴욕대학교, 월가 등을 구경시켜 주시며 공부 열심히 하고 훌륭한 사람이 되어 돌아오라는 말씀을 재차 강조하셨다. 저녁에는 총장님 가족과 함께 뮤지컬을 보러 갔다. 총장님께선 가장 좋은 자리를 예약하신 듯했다. 영화에서만 보던 장면들이 나의 눈을 사로잡았다. 사람들은 너도나도 할 것 없이 화려하게 차려입었고, 사람들의 표정에서는 여유로움이 넘쳐 보였다. 총장님께서는 어디를 가든지 사진으로 추억을 남겨 놓으셨다. "동석아 저기 서봐.", "여기 한번 서 볼까?"를 반복하시며 셔터를 누르셨다.

　그렇게 나흘이 지났다. 캘리포니아로 돌아온 나에게 새로운 꿈이 생겼다. 나의 방으로 들어온 순간 눈물이 터져 나왔다. "뉴욕으로 가자"라는 용기가 생긴 것이다. 며칠 후 나는 편지를 받았다. 총장님께서 보내 주신 사진이었다. 편지 봉투에는 손으로 직접 작성하신 편지와 함께 나의 첫 뉴욕의 생활이 담겨 있었다.

〈두 번째 뉴욕 방문기〉

　["동석아! 세계의 대통령이 탄생하셨다!" 충주에 계신 아버지로부터 한 통의 전화를 받았다. 나 또한 당시 반기문 외교부 장관의 유엔사무총장 선거출마 소식에 설레고 있을 때였다]

　2007년 5월 나는 또다시 뉴욕 길에 올랐다. 유엔사무총장 방에 출입하기 위한 절차는 상당히 까다로웠다. 30분의 면담을 위해 무려 5개월이라는 시간이 흘렀다. 처음 뉴욕을 방문한 후 5년이라는 시간 또한 지났다. 뉴욕은 5월답지 않게 꽃샘추위가 찾아왔다. 뉴욕 도심은 온통 눈발로 마비 상태였다. 나는 숙소에 짐을 풀기 무섭게 그동안 내가 동경하고 그리워하던 뉴욕의 시내로 향했다. 그리고는 총장님께서 직접 보여주신 그곳들을 다시 찾았다.

　5년이 지난 후 나의 모습은 사뭇 달라 있었다. 사람들이 보이기 시작했고, 건물들이 보였으며, 사람들의 생활이 눈에 들어왔다. 나름 '뉴요커'의 생활을 느끼고 싶었던지 길을 걷는 내내 샌드위치가 오른

"한 번 맺은 인연을 소중히 여겨라"

손에 잡혀 있었다. 뉴욕 도착 다음 날 나는 유엔본부로 향했다. 총장님을 찾아뵙기 위해서는 5단계의 보안 절차를 통과해야 했다. 드디어 성사된 총장님과의 면담.

대기실은 축구장의 크기만큼이나 넓었다. 건물과 인테리어는 낡았지만 '총장실'이라는 문구 자체가 위엄을 대신했다. 총장님을 만난 순간 나는 감탄을 금치 못했다. 주위에서 빛이 났다. 환하게 웃으시며 나를 껴안아 주셨다. 사진 촬영 후 나는 면담 테이블에 앉았다. "공부는 잘하고 있니?"라는 질문에 당당하게 열심히 하고 있다고 답했다. 총장님은 또다시 강조하셨다. 미국 사회에 적응하기 위해선 공부를 열심히 해야 하고, 공부만큼이나 운동도 열심히 해서 뉴욕으로 꼭 돌아오라는 말씀을 하셨다.

30분의 면담은 금세 지나갔다. 총장으로 취임한 후 사적으로 면담을 온 것은 처음이라는 말씀도 하셨다. 내가 바라본 총장님은 섬세하시고 부지런하시며 가정적인 분이셨다. 일은 '꼼꼼히'를 강조하셨고 매일 같이 새벽에 일어나셔서 신문을 정독하셨다. 사모님을 극도로 챙기셨고 따님에 대한 사랑 또한 넘치시는 분이셨다. 후배를 위해서는 자랑도 아끼지 않으시며 나에게 자신감을 불어넣어 주셨다.

뉴욕을 떠나는 비행기에서 나는 다짐했다. 다음번 뉴욕 방문에는 나의 꿈을 담아 뉴욕으로 공부를 하러 오리라고 말이다. 이러한 꿈이 나의 뉴욕대학교 대학원 진학에 있어 가장 큰 계기가 됐다.

내가 본 아빠

(맏딸, 보스턴 현지 병원 의사)

[아버지는 가정적이시다. 아버지의 노력 덕분으로 우리 가족은 참 화목하다. 서로를 챙겨주고 기도해주며 사랑한다. 특히 아버지의 어머니 사랑은 유별나다. 외부 저녁 식사 중 맛있는 것을 드실 땐 꼭 어머니와 우리 것까지 따로 주문해서 집으로 가져오셨다]

중학교 때 한참 자고 있었는데 거실에서 어른들이 우는 소리가 들려 잠에서 깼다. 전혀 모르는 아저씨가 술을 마시면서 억울하다고 거실 바닥을 치고 있었고, 아버지는 그 아저씨와 함께 울며 그분의 등을 쓰다듬고 있었다. 어머니는 나에게 다시 들어가서 자라고 하였다. 다음 날 여쭈어보니 그 아저씨는 사업이 부도가 나서 모든 것을 잃을 지경에 놓인 분이라고 했다. 아버지는 그렇게 다른 사람들 일까지 걱정하고 챙겨주시는 분이셨다.

초등학교 때는 집으로 어떤 고등학교 언니가 찾아왔다. 우리 아버지 덕분에 학업을 무사히 마칠 수 있었다고 했다. 그러면서 나에게 아버지는 참 좋으신 분이라고 부러워했다. 그 이후로도 많은 사람들이 직접 집으로 찾아와 아버지에게 감사한 마음을 표하고 갔다. 내 기억으로는 초등학교 때 우리 집 사정도 많이 좋지 않았다. 그런데도 아버지와 어머니는 그 상황에서도 소외된 사람들에게 금전적, 정신적 도움을 주셨다.

아버지는 가정적이시다. 아버지의 노력 덕분으로 우리 가족은 참 화목하다. 서로를 챙겨주고 기도해주며 사랑한다. 특히 아버지의 어머니 사랑은 유별나다. 외부 저녁 식사 중 맛있는 것을 드실 땐 꼭 어머니와 우리 것까지 따로 주문해서 집으로 가져오셨다. 특히 내가 중학교

"한 번 맺은 인연을 소중히 여겨라"

때 늦게까지 공부를 하고 있으면 늦은 시각에 매일 만두를 사 오셨다.

내가 집에서 나와 유학을 시작했을 때 아버지가 사 오신 만두와 그 사랑이 그리워서 매일 울었던 기억이 난다. 유학생활 중 짬짬이 한국에 들어갈 땐 아버지가 꼭 아침상을 차려주셨다. 아버지의 된장찌개는 세상에서 가장 맛있는 요리를 해주시는 어머니의 된장찌개보다 더 맛있다. 지금도 그 맛이 너무 그립다.

아버지는 사람을 참 좋아하신다. 아버지 주위에는 항상 사람들로 넘쳐난다. 그건 아마도 아버지의 노력인 듯하다. 잘 모르는 분들이 전화가 와도 항상 즐겁고 반갑게 받아주시고 도움이 필요하다고 하면 도와주시려 노력하신다. 어렸을 적부터 우리 집에는 사람들로 북적거렸다. 어머니는 손님을 치르기 위해 한겨울에도 냉면육수를 손수 만들어 삼십 명이 넘는 사람들을 대접했다. 이런 어머니의 내조와 아버지의 노력으로 지금의 아버지가 만들어지지 않았을까!

내 동생 동석이와 미국에서 유학하는 동안 가장 도움을 많이 받았던 분이 폴 클라그(Paul W Clark)였다. 동석이의 학교 친구를 통해 알게 된 미국분이시다. 그는 동석이가 미국에 와서 혼자서 유학할 때부터 많은 도움을 주셨다. 동석이가 홈스테이 하는 도중 문제가 생겼을 때도 동석이를 집에 데려가 재우기까지 하며 도와주셨고, 법적 보호자로 동석이를 돌보아주셨다.

나도 아저씨의 도움으로 유학을 시작하게 되었다. 우선 우리는 아저씨 옆집 아파트로 이사했다. 영어공부를 포함하여 미국생활 중 모르는 것이나 힘든 일이 있으면 아저씨에게 가서 여쭈어보았고 아저씨는 내가 필요한 게 있으면 무엇이든 찾아서 알려주시고 도와주셨다. 그러던 중 아저씨는 애리조나로 이사를 가셨다.

이사를 가시고 나서도 우리는 이메일과 전화로 연락을 주고받는다. 지금 생각해보면 폴 아저씨를 만나지 못했다면 동석이와 나는 지금 이 자리에 있지 못했을 것이다. 아버지도 폴 아저씨에게 감사한 마음을 가지고 있다. 영어의 한계 때문에 아버지와 어머니는 항상 우리의 미국생활에 걱정과 부담을 안고 계셨다. 폴 아저씨가 아니었다면 부모님도 우리의 길고 힘든 유학생활에 기대가 없으셨을 텐데 아저씨의 도움으로 동석이도 유학 생활을 잘 끝마치고 한국으로 돌아갔고, 나도 치과의사가 되어서 지역사회를 위해 봉사하고 있다.

　그 고마움을 표현하기 위해 아버지는 폴 아저씨를 한국으로 초대하셨다. 동석이와 나는 아저씨를 모시고 한국으로 갔다. 아저씨가 역사에 관심이 많으셨기에 아버지는 직접 운전하시면서 월악산과 충주 근처 유적지에서 아저씨에게 관련 역사정보를 설명해 드렸다. 아저씨는 아버지의 재미있고 유익한 이야기에 기뻐하셨고 즐거워하셨다. 마지막 날 아버지는 감사의 마음으로 충주에 있는 모든 친척을 소집해 아저씨를 소개해 드리고, 어머니가 준비한 저녁을 같이했다. 아저씨는 "그때 그 시간이 너무 소중한 시간이었다"고 지금도 말씀하신다.

"한 번 맺은 인연을 소중히 여겨라"

마음의 여유가 없을 때엔 스스로를 뒤돌아볼 엄두도 내지 못하고 쫓기

듯 살았다. 어느 날 문득 '내가 지금 뭐 하고 있지?' 하는 생각이

들어 남산을 오르면 시원한 해답을 받고 온다. 지금의 나를

돌아볼 수 있고 옹색하고 작은 이익에 얽매여 아등바등

하고 있는 나를 채찍질하는 산이다. 정상에서 바

라보는 모습에서 평안함이 보인다.

시원

원

하게

살자

7부

"내가 꿈꾸는 충주시"

내가 꿈꾸는 충주시

내가 꿈꾸는 충주시

[명확한 목적이 있는 사람은 가장 험난한 길에서조차 앞으로 나아가고, 아무런 목적이 없는 사람은 가장 순탄한 길에서조차 앞으로 나아가지 못한다]

- 토머스 카알라일 -

충주의 산하(山河)

내가 태어나 자란 충주는 한강과 달천이 흐르고, 크고 작은 산봉우리가 어우러져 전국 제일의 풍광을 자랑한다. 어려서부터 달천강변에서 물장구를 치며 뛰어놀던 기억과 남산으로 전교생이 토끼몰이에 동원되어가서 눈밭을 뛰던 생각이 난다.

달천강은 한강의 지류이기에 접근하기가 편했고 물이 그리 깊지 않았다. 친구들과 손을 잡고 10리 걸어가서 멱을 감고, 다시 10리를 걸어 돌아오곤 했는데, 집에 와서는 어머니께는 시치미 뚝 떼고 목욕하러 갔다 왔다는 말도 못했다. 강물이 위험하다는 생각에 친구들끼리 가는 것을 원치 않으셨기 때문이었다.

그런 와중에도 한강 쪽으로는 감히 멱 감으러 갈 엄두도 내지 못하였다. 이는 강도 크고 물의 흐름도 거칠어 접근 자체가 쉽지 않았던 탓이다. 생활 속의 공간이지만 어느 정도는 경외의 대상이었다. 어른이 되어서야 한강이 우리 민족의 젖줄이었음을 깨닫고 경외감의 의미가 가슴에 다가왔다.

〈한강〉

우리 민족의 젖줄인 한강은 태백산 검룡소에서 발원하여 강원도 정선, 영월, 단양, 청풍을 거쳐 충주를 지난다. 이 한강은 강원도 원주시 부론면을 거쳐 경기도 여주를 경유하고, 팔당에서 북한강을 품에 안는다. 그리고 마포, 김포를 거쳐 서해로 들어간다. 총 길이가 514km로 우리나라에서 압록강, 두만강, 낙동강 다음으로 긴 강이다.

이 한강의 중심에 충주가 있다. 물론 태백, 정선에서 충주에 이르는 지역을 상류라 하고 그 아래쪽인 여주, 이천, 양평, 광주, 서울 지역의 하류로 구분할 때 충주는 한강 뱃길의 주요 결절점이다.

보통 충주를 지나는 한강을 남한강이라 부르는 사람도 있는데 이는 잘못된 것이다. 한강의 발원지를 이야기할 때 기본이 태백의 검룡

소이다. 이곳에서부터 주변의 크고 작은 하천을 하나하나 모아 서해로 들어간다. 충주 주변의 달천, 제천천, 한포천, 요도천 등이 모두 한강의 지류이다. 원주시 부론면에서 합쳐지는 섬강이나, 팔당에서 합쳐지는 북한강 또한 한강의 지류이다. 다만 북한강은 조금 더 큰 지류일 뿐이다.

지구상 어떤 강이 발원지로부터 바다로 들어가는 강을 남북으로 나누어 부르는지 모르겠다. 한강의 경우 당연히 충주를 지나는 강이 본류가 되고, 북한강의 규모가 크기는 하나 지류의 하나로 보아야 맞는 것이다. 본류가 둘로 나뉘는 강은 없다. 남한강이라는 용어보다는 당연히 한강이라 해야 하고 북한강은 지류임이 틀림없다.

어쨌든 충주는 한강과 지류인 달천강으로 둘러싸인 수향(水鄕)이다.

〈달천〉

자맥질 치던 달천은 보은 속리산에서 발원하여 괴산군을 거쳐 충주시로 흘러드는 하천이다. 달천은 흐르는 지역에 따라 청천이 되기도 하고, 화양천, 괴강이 되기도 한다. 달천이 흘러 충주로 들어오면 '달래, 감천(甘川)'이 된다. 옛날에는 수달이 많이 살아서 '달강'이라 하였다는 전설이 있다. 그 때문인지 인근에 수달피 고개가 있으며, 달천리 서쪽 물가를 물개달래로 부른다. 달천 물맛이 좋아 '단냇물'이라 하였던 것이 '달냇물'로, 다시 '달래, 달천'으로 변했다는 지명 유래도 전한다.

조선시대 식음수의 최고 감별사였던 이행(李荇) 선생은 달천의 물맛을 최고로 평했다. 여기에 이여송은 달천의 물을 여산(如山)의 물과 같다고 극찬을 하고 있다. 여산은 낙양에 있는 산으로 현종과 양귀비가 먹던 물을 말하는 것이다. 실제로 먹어본 여산의 물맛은 그리 좋은 편이 못되었는데 조선 시대에 중국 황제가 먹던 물과 비견되었다는 것은 어쨌든 대단한 것이라 생각한다.

달천강은 '달래강'으로 충주사람들에게는 더 알려졌다. 나에게는 어릴 적 달래강에 얽힌 '오누이 전설'을 들으며 엉큼한(?) 생각을 했던 게 최고의 추억이다.

〈계명산〉

충주는 우리나라의 대표적인 내륙분지다. 시내에 들어오면 사방이 산으로 포위된 듯한 느낌이다. 충주의 옛 이름 중 예성(蘂城)이란 지명이 있다. 예(蘂) 자는 바로 '꽃술 예'이다. 꽃술이란 꽃잎들에 둘러싸여 가운데에서 암술과 수술이 있고 벌 나비가 들어와 가루를 묻혀 수정하여야 열매가 맺을 수 있다고 들었다. 바로 암술과 수술이 충주사람들이고, 이를 둘러싸고 있는 꽃잎이 주변의 산이다.

꽃잎 가운데 가장 눈에 띄는 것이 계명산이다. 충주분지의 북동쪽에 우뚝하게 자리 잡은 해발 774m의 산이다. 이 계명산(雞鳴山)이 있음은 아침을 알리는 계명성이 시내에 크게 울려 퍼지는 충주의 모습을 그려볼 수 있다. 원래 이 산은 계족산(鷄足山)이었다고 한다. 산에 지네가 많아 주민들에게 피해를 주었기에 산의 이름을 닭 계(鷄)자가 들어가게 바꾸었더니 지네가 자취를 감추었다고 한다. 그런데 계족산이라 바꾼 후 충주지역에 큰 부자가 점점 줄어들었고 충주 경제가 차츰 쇠퇴의 길로 접어들었다. 이를 알아보았더니 계족, 즉 닭발은 자꾸 헤집는 버릇이 있어 부가 쌓이지 않는다는 것이다. 이러한 사실을 감안하여 충주시에서는 1958년 지명위원회를 열어 계족을 계명으로 바꿨다고 한다.

계족산이나 계명산이나 마음먹기 달렸다고 생각한다. 좀 더 긍정적인 차원에서 생각하면 계족이나 계명은 큰 차이가 없다. 계족은 닭이 횃대에 올라서 잠을 잘 때 한쪽 다리를 들고 자는 버릇이 있기에 홀로서는 자립정신을 강조할 수 있다. 계명도 새벽을 알리는 좋은 소리이므로 믿음의 상징이다.

예부터 우리 선조들은 보통 닭을 벼슬한 사람의 상징이라 여겼다. 닭의 벼슬이 있는 모습에서 문관(文官)을 보았고, 닭발의 강함에서 무인(武人)의 기상을 보았다. 또 싸움에 임하여서는 당차게 응대하는 용기(勇氣)를 배웠으며, 먹이를 먹을 때 동료나 새끼를 불러 함께 나누는 인(仁), 계명성에서 믿음과 진실함[信]을 읽었다. 이러한 닭을 충주는 가장 눈에 띄는 꽃잎이며, 동북향에 자리 잡은 배산의 이름으로 사용하고 있다.

계명, 계족 다 좋은 이름이기에 충분히 긍정적으로 접근하면 전체의 삶을 전환시키는 계기가 되었을 거라 판단된다. 지명을 바꾸는 것도 그 시대를 사는 사람들이 정신을 반영하는 것이기에 긍정적으로 보나 전통을 쉽게 바꾸는 것은 또 다른 부담이라 생각된다.

계명산의 옛 이름으로 기록된 지명은 심항산(心項山)이다. 마음 심(心)자에 목 항(項)자를 쓰는데 이는 마음 목, 마목에서 나온 것이다. 계명산과 남산의 중간에 있는 마즈막재와 함께 인근 마고 할미 축성

설화에서 유래된 것으로 해석하고 있다. 이는 삼국사기에 등장하는 마목현(痲木峴)이 마즈막재일 수 있다는 해석으로 매우 중요한 지적이다.

마즈막재에는 성이 있었던 흔적이 있다. 고개를 넘나드는 고갯마루에 영액(嶺扼)이 남아 있었는데 지금은 차도가 넓혀지고, 대몽항쟁승전비를 건설하며 흙에 덮여있는 상태이다.

〈금봉산〉

계명산의 우측인 충주의 동남쪽에 금봉산이 있다. 마고 할미가 쌓았다는 할미 성이 산 정상부에 남아있다. 지금 시민들은 비단 금(錦)자에 봉황 봉(鳳)자를 쓰는 산 이름은 잊어버리고 남산이라고 부르고 있다.

접근하기 좋아 지금은 충주 시민들의 최고의 등산로, 산책길로 이용된다. 중부매일 충주 주재기자로 근무할 때, 남산이 좋아 신문사에서 주최하는 걷기대회를 주관하며 시민들과 함께 오르던 산이다. 이 행사는 지금도 매년 1회씩 진행되고 있어 뿌듯하다.

이 산의 산성은 남산 성(南山城)이라 하는데, 삼국시대 신라가 쌓은 것이다. 성곽은 2.1km에 달하는 포곡식 산성인데, 꾸준한 조사 연구로 일부 다시 쌓은 구간도 있고, 성문지와 더불어 성 내부에 저수시설 등이 복원되어 있다. 축성기법은 시루떡을 쌓듯 10m이상의 높이로 성을 축조한 신라식 산성이다. 성벽 출수구의 모습도 보은 삼년산성, 단양 온달 성의 것과 흡사하다.

충주사람들과 역사적 애환을 같이 했던 곳이기에 쉽게 찾을 수 있는 산이다. 마음의 여유가 없을 때엔 스스로를 뒤돌아볼 엄두도 내지 못하고 쫓기 듯 살았다. 어느 날 문득 '내가 지금 뭐 하고 있지?' 하는 생각이 들어 남산을 오르면 시원한 해답을 받고 온다. 지금의 나를 돌아볼 수 있고 옹색하고 작은 이익에 얽매여 아등바등하고 있는 나를 채찍질하는 산이다. 정상에서 바라보는 모습에서 평안함이 보인다.

〈대림산〉

충주 정남 쪽에 대림산이 있다. 계명산, 남산과 함께 충주분지의 꽃잎을 형성하고 있는 대표적인 산이다. 『세종실록지리지』에는 대림산을 충주의 진산(鎭山)이라 했다. 산의 정상부는 편평한데 이곳에 봉수대와 산성이 있었다.

봉수대는 경상도 바닷가에서 서울로 올라가는 봉수노선 가운데 하나로 경상도 문경 쪽에서 올라오는 노선이다. 경상도 문경의 탄항 봉수에서 연기나 불이 오르면 수안보 미륵리 마골재 봉수에서 받는다. 마골재에서 오치마을의 주정산 봉수대로 연결하면 다시 대림산의 봉수로 연결된다. 이곳에서는 대송원면에 있는 마산 봉대로 연결한다.

문경 쪽에서 올라오는 길목에 대림산이 있고, 충주분지를 감싸고 있는 만큼 지정학적으로 중요한 곳이다. 이 산에는 4.9km에 달하는 대림산성이 달천 쪽의 계곡을 감싸 안고 있다. 성 안에는 사람들이 살며 현재의 창동마을을 형성하고 있다. 가파른 길로 접근이 어려우나 삼태기 모양으로 성에 들어간 사람들이 적으로부터 스스로를 방어하기에 는 천혜의 요새로 보인다.

이 대림산성을 학계에서는 대몽항쟁 시 충주 시민들이 몽골병사와 70일간의 전투를 치러내며 승리를 거둔 곳으로 보고 있다. 마즈막재에 있는 대몽항쟁 전승비의 실지 전장이 바로 이곳이었다는 것이다. 1253년 가을에 벌어진 70일간의 전투에서 노비문서를 불태우며 전쟁을 독려하던 김윤후 장군, 그리고 민관군이 혼연일체가 되어 몽골의 침략에 맞서 싸우려 했던 조상들의 기개가 가슴을 뭉클하게 하는 곳이다.

최근 산성 등반로를 만들어 놓기는 했지만 개인적으로는 쉽게 접근하기 어려웠던 산이다. 그러나 창문을 열고 고개를 들면 남쪽으로 보이는 산이었기에 그 의미가 새롭다.

〈그 외의 산과 강〉

충주지역의 산과 강 어느 하나 정겹지 않은 것이 없다. 산과 강이 어울려 계곡과 평야를 형성하고, 그 속에 따스한 햇볕과 구름이 있고, 바람이 불어 살기 좋은 기후를 만든다. 양지바르고 편안한 곳에 마을이 깃들고, 그 속에서 우리는 삶을 영위한다.

내게 영향을 준 가까운 산과 물도 있지만 다양한 친구들의 영역 속에도 산과 강이 존재하다. 대소원면에 사는 친구에게는 요도천과 철광산이 중요하고, 노은면, 중앙탑면 사는 친구는 보련산, 국망산, 장미산과 더불어 한포천과 봉황천이 있다. 산척면, 동량면에는 천등산, 인등산, 지등산, 개천산이 있고, 삼탄의 맑은 물과 조동천, 정토사가 있다. 수안보면의 온천과 미륵리, 살미의 적보산, 소태, 엄정의 청계산과 엄정천, 목계가 있다. 주덕과 신니에 사는 친구는 넓은 주덕평야와 가섭산이 있고, 금가면에는 금가평야와 태고산이 있다.

모두 정겹고 의미 있는 우리의 자연이다. 이런 자연을 배경으로 내가 있고, 우리가 살고 있다. 이 땅에 우리 할아버지, 할머니가 사셨고, 내 아들, 딸이 살아갈 것이다.

내가 물려받아 지금까지 잘 살아온 이 땅을, 잘 가꾸고 다듬고 살지게 하여 우리의 아들, 딸들에게 넘겨주는 것이 우리 세대의 의무일 것이다. 떳떳한 선배로 기억될 때 이 땅에 뼈를 묻어도 부끄럽지 않을 것이다.

충주 역사에 대한 소고

중원지역은 구석기 시대부터 현대에 이르기까지 계속 사람이 살아온 곳이다. 선사 시대인 구석기, 신석기, 청동기, 초기 철기 시대에 이르기까지 전시대의 유물들이 출토되고 있다. 역사 시대에 들어와서도 원삼국 시대부터 고구려, 백제, 신라의 삼국 시대, 남북국 시대, 고려 시대, 조선 시대, 일제강점기, 현대에 이르기까지 모든 시대를 특징짓는 대표적 사건들이 빗겨가지 않았던 곳이다.

충주 고구려비가 있고, 백제의 철정이 나오고, 2천여 기가 넘는 신라의 고분군과 중앙탑이 존재한다. 대몽항쟁의 승전지이며, 임진왜란을 치렀고, 명장 임경업의 충렬사가 있다. 한 말 의병의 활동지이며, 동락 전투가 있었다. 한강 뱃길과 영남대로는 우리 민족의 젖줄이었다.

〈선사시대〉

한반도에 인류가 살았던 최초의 흔적이 바로 중원지역에서 시작되고 있다. 바로 단양 금굴 유적의 가장 아래 문화층에서 70만 년 전 인류의 흔적이 확인된다.

현재의 행정구역으로 볼 때 단양과 제천지역이 금굴, 구낭굴, 수양개, 점말동굴 등의 뚜렷한 구석기 유적이 발굴되는 사실과 비교한다면 빈약한 편인데, 충주에는 용탄동, 금릉동, 용산동과 신니면, 동량면 등에서 석기가 발굴되어 보고되고 있다.

신석기 유적의 경우도 현재 조동리 유적의 아래층에서 확인되며, 빗살무늬토기가 수습되고 있다. 조동리에서 수습되는 빗살무늬로 보면 암사리와 동삼동의 중간 단계의 모습이란다. 중요한 건 조동리 신석기 층에서 나온 볍씨 낱알이다. 현재까지 우리나라 신석기시대 유적에서 출토된 볍씨 낱알 중 가장 앞선 6,200년 전에 재배된 볍씨라고 한다. 이를 이어 옥천 대천리, 고양 가와지, 김포 가현리 등의 볍씨가 뒤를 잇는다. 구석기에 해당하는 오창 소로리 볍씨를 제외하고는 가장 앞선 시대의 자료라 주목된다.

이 측정치가 주목되는 것은 신용하 교수가 주장하는 고조선을 예, 맥, 한의 3부족이 연합하여 성립된 나라일 것이라는 학설에 대한 가장 중요한 가설이기 때문이다. 고조선에 대해 이병도는 예·맥족이 설립하였다는 주장과 김상기의 예족과 맥부족 2부족설 뿐이었는데 신용하 교수는 3부족 연합설을 주장했다.

〈세계 최초의 농경사회를 형성한 한 부족〉

이 이야기의 핵심은 한 부족의 존재다. 그동안 예족과 맥족은 많이 들어보았어도 한 부족은 처음일 것이다. 신 교수가 주장하는 한 부족은 한강유역에서 발생한 부족으로 최초의 선진적 농경사회 문화를 형성했다. 선진적 농경문화는 한강, 금강 상류, 한탄강이 포함된 지역에서 세계 최초로 발생하였는데, 오창의 소로리, 충주 조동리, 옥천 대천리, 고양 가와지, 김포 가현리 등에서 널리 퍼진 신석기를 바탕으로 나타난 부족이라고 보았다. 이 부족은 뾰족밑빗살무늬토기의 문화유형을 가지며, 농경도구를 발달시키고, 태양을 숭배하던 부족이다. 이 한 부족이 가담하였기에 고조선이라는 나라가 발생하였다는 것이다.

이 이야기를 접하는 순간 조동리 유적이 경이롭게 다가왔다. 학교에서 배웠던 황하문명만이 아니라 한강을 중심으로 한강문명의 존재를 생각한 것이다. 더욱이 그것이 고조선을 이루었다는 가설은 가슴을 설레게 하였다. 이러한 문화가 우리 충주를 중심으로 이루어지고 있었다는 것 또한 놀라운 일이다.

조동리 유적의 주요 문화층은 청동기이다. 발굴된 여러 채의 집터에서는 판자로 벽을 만들었음을 확인할 수 있는 증거자료를 확인하였고, 많은 움과 불 땐 자리가 다수 조사되었다. 조동리에서는 많은 석기류와 함께 붉은칠굽잔토기라는 특징적인 유물도 발굴하였다. 토기만들기와 농경, 어로, 가축 기르기 등이 심화·발전되었음을 확인할 수 있고, 조동리 탑평마을에서는 고인돌과 불교의 탑신앙이 결합된 고인돌도 조사되었다.

<수장 '중원왕'의 무덤 확인되다>

청동기 시대 다음에는 초기 철기 시대 유적이 있다. 충주에서 철기 시대 유물이 처음 등장한 것은 충주댐 수물지역 발굴조사 때인 1980년대의 일이다. 경북대학교 윤용진 교수팀이 발굴한 동량면 하천리 유적에서 철기 시대의 집터가 발굴되었다. 화재로 인하여 소실된 흔적과 함께 철기 유물이 집터 내에서 다량 출토되어 크게 주목을 받았다. 윤용진 교수는 "하천리 유적만큼 완벽한 초기 철기 시대의 집터 발굴은 평생 처음이자 마지막일 것"이라고 말했다.

이러한 충주에서 2014년 봄 초기 철기 시대 진국의 수장이었을 것으로 보이는 '중원왕'의 무덤이 확인되어 전국을 들썩였다. 2017년에 충주에서 개최하기로 예정된 전국체전에 대비하여 호암동에 주체육관을 마련하기로 하고 문화유적을 조사하고 있었다. 중원문화재연구원에서 발굴조사를 시행하는 도중 대제지(일명 함지못) 오른쪽 구릉의 남사면에서 자그마한 적석목곽분이 발굴되었는데 이곳에서 자그마치 19점이나 되는 청동기가 출토되었다. 세형청동검 7점을 비롯하여 투겁창, 동모, 동과, 동사, 동착, 동부, 동경 등 청동기 19점과 토기 2점, 칠기 1점 등에 이르기까지 모두 23점이었다. 이는 단일 무덤에서 가장 많은 숫자의 청동유물이 발굴된 것이고, 우리나라에서는 발굴조사를 통하여 확인된 최초의 토광적석목곽묘였다. 통나무관을 사용하여 매장하였고 장례를 치르며 단계적으로 사자를 위해 비는 의식을 적어도 4차례 이상 행하였음도 읽어낼 수 있었다.

초기 철기 시대인 BC 2C 경의 유구로 추정되는 것이기에 고조선과 진국의 존재가 이야기되는 시대에 충주에 진국의 수장이 있었던 것이 아닌가 하는 추정이 가능해졌다. 역사기록에서는 전혀 보이지 않는 내용인지라, 조심스럽게 진국의 수장이 충주를 근거지로 하지 않았을까 하는 가정을 해 보게 된다.

충주시는 무덤의 주인공 이름을 공모하여, '가온왕, 다인왕, 중원왕'이라는 이름을 선정하여 이 가운데 중원왕이라는 이름을 채택하여 무덤 주인공이 이름을 명명했다. 가온은 가운데, 중앙을 상징하는 순우리말이고, 다인왕은 철을 다루는 수공업자 집단이 충주에서 오랜 전통을 이루며 살았다는데서 연결시킨 이름이었다. 중원왕은 사라진 군의 이름임과 동시에 가온과 다인의 뜻을 모두 포괄하는 것이기에 선정되었다고 생각된다.

이러한 일련의 일은 전국체육대회를 중소도시에서 개최하기 좋은 운동장을 조성하여 잔치를 치러야 한다는 부담감과 수장급 무덤을 보존하여 후손에 물려주어야 한다는 주장이 엇갈려 다툼도 있었다. 아쉬움은 남으나 수장의 무덤을 운동장을 찾는 이가 잘 살필 수 있도록 전시관을 만들어 보존하자는 것으로 일단락을 지었다. 중요한 유적이기에 그 실제를 보존하여야 하고, 모시래들을 아래에 두고 멀리 달천을 바라보는 지형조차도 그대로 간직하여 후손에 전해주는 것이 옳겠다는 주장까지는 충족지 못했다.

도심이 확장되며 필요한 각종 시설이 건설될 때마다 부딪힐 수 있는 문제이다. 법이 강화되었다고는 하나 항상 보존논리는 개발논리에 밀려 움츠러들 수밖에 없다. 어찌 보면 이 시대에 태어난 불행이겠으나 미안하고 어깨가 무거워짐은 부인할 수 없다.

〈삼국시대〉

충주 일대는 삼국이 쟁패를 겨루던 지역이다. 처음에는 마한의 옛터였다가 백제가 확장하면서 이 지역을 지배하였다. 백제의 유적은 세계 조정선수권대회가 열리던 가금면 중앙탑 일대에서 확인되었다. 무려 30기가 넘는 백제의 집터가 확인되었는데, 이 마을유적에서는 600m에 달하는 수로가 발견되기도 하였다. 이 백제 집터 중 어떤 것은 집터 윗층에서 아궁이 유구가 겹쳐서 발굴되었는데 이는 고구려인 것이었다.

이런 사실에서 탑평리 일대에 백제의 마을이 있었고, 그 후에 고구려에서 내려와 동일 한 곳에 집을 겹쳐짓고 살았다고 해석 가능하다. 백제의 유적은 탄금대의 공방에서 철정이 발굴되거나, 철제련로가 발굴되고 있다는 사실은 삼국 초기 충주의 주인은 백제인이었다는 것을 증명한다.

다음에 등장하는 나라가 고구려이다. 고구려가 충주에 남긴 것은 충주 고구려비와 대소원면 탄방의 고구려 무덤 6기뿐이다. 백제가 4세기까지 충주에서 활약하였다면 5세기에는 고구려가 주인이었다. 광개토대왕이 신라에 원정군을 파견할 때부터 고구려 세력이 들어왔던 것으로 보인다. 장수왕 때에는 신라, 백제를 견제하기 위한 남방기지가 되었을 것으로 생각된다. 국원성이라 한 것도 수도인 국내성에 버금가는 지역으로 대우하겠다는 의지가 반영된 지명일 것이다. 충주 고구려비는 바로 그 시대의 모습을 그리고 있다고 판단되나 4면비의 한 면만이 규명되고 있어 큰 아쉬움을 남긴다.

진흥왕이 중국과의 통로 확보를 위해 한강 하류로 진출하며 충주는 신라의 영역이 된다. 진흥왕 12년(551년) 하림궁으로 우륵을 불러

가야금을 연주케 하며, 18년에는 국원소경이 되며, 19년에는 6부호민과 귀척자제를 사민 시켜 신라의 강력한 고을로 만들고 있다. 이후 문무왕이 통일신라를 만들기 위해 당과 싸움을 하며 이 국원소경성을 개축하는데 무려 2,592보의 규모였다고 한다.

이후 충주는 통일신라의 5소경의 하나로 비교적 안정된 삶이 되었다. 삼국의 화합잔치가 중앙탑을 중심으로 벌어지지 않았을까 생각해 본다.

〈고려 시대〉

고려로 들어오는 과정에서 충주는 왕실의 외척세력 역할을 하였다. 고려 태조 왕건 29명의 왕비 중 3번째 부인이 신명순성황후인데 이 분이 충주 유 씨 유긍달의 딸이다. 신명왕후는 효, 소 두 왕자를 낳았는데, 효 왕자가 고려의 세 번째 왕인 정종이고, 소 왕자가 네 번째 왕인 광종이 되었다. 이는 고려의 초기정국에서 충주세력이 상당한 역할을 수행하였다는 것을 확인하게 한다.

광종은 954년 봄에 어머니를 기리기 위한 사찰을 충주에 지었는데 지금은 터만 남은 숭선사(崇善寺)이다. 광종은 개성에 불일사(佛日寺)를 지어 어머니를 기렸고, 다시 어머니의 고향에 숭선사를 건립했다. 이 숭선사는 1980년대 예성문화연구회원들에 의해 찾아지고 꾸준히 조사하여 지금은 사적지가 되었다. 이 절터에서는 금동불상을 비롯하여 다양한 유물이 출토되었고, 사찰과 건축에 멋진 지하배수 시설이 확인되는 등 고려의 건축, 토목 기술을 이해하는 귀중한 자료를 쏟

아내고 있다. 중요한 것은 창건 연대가 정확히 문헌에 기록된 고려시대 사찰이라는 점이다. 중요한 사찰인 만큼 위상에 맞게 잘 정비되어 우리의 귀한 관광자원으로 자리 잡았으면 하는 바람이다.

〈대몽항쟁의 전승지, 충주〉

고려 시대 충주에서 일어난 가장 중요한 사건은 몽골과의 싸움이다. 13세기 초 대륙에서 일어난 몽골은 급격히 팽창하여 서쪽으로 서하를 복속시키고, 남쪽으로 원나라를 복속시키며 제국을 형성한다. 여세를 몰아 만주와 동유럽을 정복하며 대제국을 건설한 후 거란을 압박하는 과정에서 고려와 만나게 된다.

처음에는 연합작전으로 거란을 격퇴하였으나 도와준 대가로 지나친 조공을 요구하였다. 이에 사이가 벌어지고, 몽골 사신이 국경에서 살해되는 사건이 벌어지자 전쟁이 발발한다. 1232년 첫 번째 침략을 시작으로 40년에 걸친 싸움은 우리 조상들에게 씻을 수 없는 큰 고통을 안겨주었다.

충주에서의 몽골과의 싸움은 기록된 것만 9번이다. 이 가운데 8번은 모두 승리한 기사이고 단 한 번만 성을 포기하고 산성으로 입보하여 몽골에 의해 읍성이 도륙되었다는 것인데 이는 의도적인 것이라 생각되므로 실제로는 거의 전승을 거두었다고 해도 과언은 아닐 것이다.

여덟 번의 승리기록 중 도시 이름이 승격된 예가 있다. 다인철소(多人鐵所)민들이 몽골군과 싸워 이겨 익안현(翼安縣)으로 승격하는데 익안현이 이안면이 되고 류등면과 합쳐져 이류면이 되었다가 지금은 대소원면으로 변하였다.

그런데 40년에 걸친 몽골과의 전쟁에서 도시 이름이 승격된 예가 꼭 4번뿐이라는 점에서 주목된다. 4번 가운데 2번이 충주에서의 전투였다. 이는 충주인들이 외세에 굴복하지 않는 철의 정신의 소유자들이라는 천 년 역사의 귀중한 증거라 할 것이다. 불굴의 의지를 가진 선조들의 모습에 절로 고개가 숙어진다. 더욱이 무명의 철소인들이 이룩한 승리는 오늘에 되살려야 할 최고의 정신적 자산이라 하겠다.

우리 지역의 역사를 살피며 조상들의 강인한 철의 정신을 오늘에 되살리려는 노력을 않거나 게을리 하고 있는 스스로의 모습에 부끄러움을 느낀다.

충주의 고려 시대 문화유적으로는 소개한 숭선사지 외에도 미륵대원사지, 정토사지, 의림사지 등의 절터와 충주외성, 대림산성, 보련산성 등의 관방 유적이 있다. 또 대원사철불, 단호사철불, 백운암 철불좌상 등과 단월동, 호암동 등에서 발굴한 고려묘, 완오리야철지를 비롯하여 대소원면, 가금면, 앙성면, 노은면 일대의 야철 유적과 철광산 등이 다수 확인된다.

〈조선 시대〉

조선 초기의 충주는 충주사고가 가장 중요하였던 것으로 보인다. 고려 시대 외사고를 그대로 이어받아 간직한 충주는 조선 시대 보물창고였다. 우리 역사상 최고의 군주였던 세종대왕 시절 창제된 훈민정음을 비롯한 과학기술의 진보에 충주사고에 보관되었던 각종의 서책들도 큰 역할을 하였다. 충주사고에는 천문, 지리, 역학, 음양학, 의학 등 제반분야에 서적들이 총 망라되어 있었다고 한다. 세종이 문제에 봉착할 때마다 서책을 가져오라고 수없이 많은 관리를 파견하고 있었다. 이러한 사실에서 충주는 직간접으로 크게 이바지하였다고 판단된다.

〈탄금대와 임진왜란〉

조선 중기에는 임진왜란이 가장 큰 사건이었다. 충주에서 벌어진 탄금대 전투는 조선의 명장인 신립장군과 왜장 고니시 유키나가(小西行長)와의 대결이었다. 물론 준비된 전투력과 신무기를 가진 왜의 우세는 예상되었지만 전투를 누구보다 잘 알고 이미 벌린 여진과의 싸움에서도 무용담을 떨친 신립이었기에 일말의 기대를 하였다. 그러나 결과는 참패로 끝이 났고 조선의 8천 병사가 탄금대에서 전사하고 말았다.

이 전투는 양진영의 본진이 맞선 첫 번째 전투였으나 결과는 참패였다. 이는 조총이라는 신무기 때문에 전투력에서 큰 차이가 났다고 평계를 댈 수 있으나 근본적인 원인은 위정자들의 부패와 파벌로 인해 국방에 대한 준비가 전혀 안 되어 있음에 기인한 것이다. 동서의 파벌은 일본의 정세를 살피려 보낸 정사와 부사의 의견이 나뉘고 있음을 보면 막장임이 분명하다. 여기에 왜적이 파죽지세로 북상하고 있음에도 장수의 파견에 당을 따져 승부를 저울질하는 무능이 백성들을 죽음으로 몰아넣었다. 그럼에도 불구하고 배수진을 치며 죽음으로 항거한 조선의 정신을 탄금대 푸른 물결은 기억하고 있을 것이다.

충주에서의 탄금대 전투 후유증은 두 가지로 나타난다. 하나는 충주사고의 소실이요, 다른 하나는 충청도 감영을 공주로 빼앗긴다는 것이다.

충주사고의 소실은 고려로부터 이어온 조선인의 정신문화 붕괴를 의미하는 것이다. 많은 고대서적의 소실로 찬란한 과학기술, 사상의 차단을 초래하였다. 조선 초기 훈민정음의 창제로 대표되는 과학과 인문학, 농학, 천문학, 음악 등 사회 전반적인 발전의 틀이 혼돈을 맞게 된 것이고 새로운 사회질서로 변하게 되는 상징적 의미를 가진다.

충주에 있던 충청감영이 1602년 공주로 이전된다. 임진왜란으로 충주가 거의 파괴되어 충청도 관찰사가 누워 쉴 곳이 없을 정도로 황폐해져 버렸기에 부득이 감영을 옮겨야 한다는 논리에서였다. 참으로 어리석은 정치적 놀음에 충주는 감영을 빼앗긴 것이다. 전쟁의 상처가 크게 남아있다면 직접 현장에서 상흔을 치료하여 원상을 회복하고 더욱 발전시키는 것이 옳은 일이라 본다.

소극적으로 당장 쉴 곳이 없다는 핑계로 안전한 곳으로 옮기고 나면 상처의 치료는 더욱 더뎌질 뿐이다. 전쟁 때문에 큰 손해를 입은 충주와 충주인을 위무할 뜻이 없었다는 의미로밖에 받아드릴 수 없지 않을까?

이와 똑같은 일이 1908년 충청북도의 도청을 충주에서 청주로 옮기는 과정에서도 반복된다. 충청북도를 지배하는 일인 관료들이 서울을 오가기 불편하다는 이유로 경부선 철도 근처로 도청을 이동한 것이다. 이때 주동자는 일제 관리들이었고, 충주와 그 인근에서 의병이 창궐하여 신변에 위협을 느꼈기에 도청 이전을 기습적으로 시도한 것이다. 이미 국권을 빼앗긴 입장이었으니 불가항력이었지만 1602년에는 임진왜

란을 경험한 위정자들이 정신 못 차리고 행한 어리석은 정책이라 생각
하니 참 서글퍼진다. 이때의 관료가 왜놈들과 다른 것이 하나도 없었
던 것 같다.

다시는 이와 같은 어리석음이 반복되지 말았으면 한다. 살신성인하
다가 피폐해진 곳을 버리기보다는 적극적으로 어려움을 극복하기 위해
같이 땀을 흘리는 그런 적극적인 인물이 절실히 필요하다.

충청도 양반과 충주사람들

조선은 성리학의 나라이다. 특히 명나라가 청에 의해 패배한 후 조
선은 주자학의 정통을 계승한 나라였다. 중국의 지형상 모든 강이 동
쪽으로 흘러 황해로 들어가듯이, 주자학의 정통도 명이 청에 패망함에
동방으로 옮겨왔다는 것이다.

임진왜란이 발생하기 직전 사림 내에서 당파가 발생하기 시작하였는
데, 율곡 이이와 성혼 선생을 계승한 서인, 퇴계 이황과 남명 조식 등
을 계승한 동인이 그것이다.

임진왜란 정국에서는 동인이 크게 우세하여 정권을 장악하였으나 전
란 후 동인인 정여립 모반사건으로 서인에 주도권을 빼앗긴다. 서인의
대표였던 정철이 광해를 지지하다가 선조의 눈 밖에 나며 다시 동인이
주도권을 잡는데 정철의 처리문제로 의견 대립하여 강경파인 이산해를
중심으로 한 북인과 온건파인 유성룡을 중심으로 한 남인으로 나뉘게
된다.

광해군이 왕위를 계승하며 다시 서인 정국이 되고, 남인 정국이 번복

되어 부침하게 되는데 서인은 우암 송시열을 중심으로 한 노론과 윤증을 중심으로 한 소론세력으로 나뉜다. 숙종, 경종, 영조로 이어지며 환국, 탕평으로 이어지며 부침하는데 조선의 당파는 어쨌든 북인, 남인, 노론, 소론의 4색 당파가 형성된다.

이상이 책에 나오는 내용인데, 내 고향 충주는 김효원의 손자인 김세렴의 묘가 있는 것으로 보아 북인 계열도 있었고, 세 번이나 영의정을 지낸 묵재 허적이 남인(탁남)의 영수였으니 남인도 있었다. 여기에 우암 송시열과 수암 권상하, 남당 한원진, 병계 윤병구로 연결되는 노론의 본영이었고, 경종의 태실이 있는 것으로 지지하던 소론의 흔적도 보여 크게 혼재된 모습이다.

그러나 충주의 실제 주동세력은 기호학파이며, 노론계열로 분류되었던 사람들이 주를 이루었던 것으로 판단된다. 노론계열은 조선 후기사회에 주역으로 활동하면서 나름 조선사회가 당면한 많은 문제들을 고민하고 있다. 이 가운데 오랑캐의 나라라고 하여 폄하한 청나라가 실제로 큰 힘을 가지고 강국으로 조선을 간섭하고 있는데 이에 대하여 어떠한 논리로 대적해야 하는가를 고민하며 나온 논쟁이 호락논쟁이다. '사람(인성)과 물질(물성)이 같으냐 같지 않냐'를 놓고 노론계열인 권상하의 문하에서 격렬하게 논쟁이 벌어진다. 인성과 물성이 같지 않다는 인물동이론(人物性異論)이 호론(湖論)이고, 인성과 물성은 같은 것이라는 인물성동론(人物性同論)이 낙론(洛論)이라고 배웠다.

그러면 충주지역 사람들은 호락논쟁 속에 어디를 지지했을까? 호락논쟁이 벌어졌을 때 수암 권상하는 호론을 지지했다. 따라서 수암의 본향인 충주의 성리학자들은 대부분 남당 한원진, 봉계 윤봉구로 이어지는 호론에 대부분 열렬한 지지를 보내고 있다.

반면 낙론은 기호지방 중 서울과 경기지역에 있는 김창흡을 위시한 6창과 이간, 박필주, 어유봉, 이재로 이어지는 학자들이 이를 따르고 있다. 물론 나중에 안동 김씨 문중의 일부가 충주에 등장하기도 하지만 대세는 아니었다.

호론의 주창자들은 물성을 가진 것과의 화합은 불가하며 토벌해야 한다는 엄격주의자들이었다. 반면 낙론 주장자들은 소인들도 교화 가능성이 있기에 노력해 받아들여야 한다는 논리를 폈다. 즉 청나라를 타도, 토벌의 대상이 아니라 받아들여 교화할 수 있는 대상이므로 타협해야 한다는 것이었다.

나중에 이러한 호락논쟁에서의 쟁점은 외세가 들어오는 시점에서는 위정척사와 개화파로 변화를 거듭하며 나타나고 있음을 확인할 수 있다.

바로 이런 모습에서 충주인들이 삶이 귀결되는데 임경업 장군처럼 떨어지는 해인 명나라를 추종하여 비극적인 생애를 마감하거나, 을미사변이후 의병을 일으켜 강한 기개를 보이는 모습으로 나타나기도 하였다.

충주의 유학자들이 추종하던 호론은 논리가 경직되어 시류의 변화에 능동적으로 적응하지 못하는 단점이 있다. 급변하는 세상의 변화에 능동적으로 적응한다면 나름 개인적인 부(富)도 축적할 수 있고, 부국(富國)을 이룩할 동력을 얻을 수 있을 것이다. 그렇지만 충주사람들은 명분이 없으면 행동하지 않았다. 아무리 강한 적이 위협을 하여도 불의라고 하면 절대 타협하지 않고 싸워 이기는 강인함과 백절불굴의 정신을 보였다. 금방 손해가 날 것인지 알면서도 의리를 지켰고, 불의는 쳐서 없애야 한다는 사고였다.

어찌 보면 시세 변화에 적응하는 것을 굴절로 보는 것 같다. 그러다 보니 시류에 적응하지 못하여 역사적으로는 많은 손해를 보았다. 경부선 철도의 건설이나 경부고속국도가 처음 계획되었을 때 현재의 삶이 급격하게 변하는 것을 능동적으로 받아들이지 못하였기에 반대하거나 적극적이지 못했다. 한번 놓친 기회를 만회하기는 정말 쉽지 않다. 밀려드는 근대의 물결에 적극적, 능동적으로 대처하지 못한 결과는 우리나라에서 4대 도시의 하나에 들어갔던 충주가 현재 모습에 머물러 있게 한 것이 아닌가 한다.

현대처럼 급변하는 세상에서 고집 있게 전통을 지키고, 의리를 찾고, 불의에 참지 못하는 강인함도 꼭 필요한 덕목이고 자랑이다. 그렇지만 현대를 살아가는 충주사람에게는 이런 덕목을 지키면서도 변화에 대처하는 보다 적극적이고 능동적인 자세가 더욱 필요한 것이라 생각한다.

충주의 역사를 살펴보면 선사 시대부터 근대에 이르기까지 어느 지역보다 찬란하던 때도 있었고, 고난을 받아 힘든 시대도 있었다. 전국에서 4대 도시의 하나로 평가받아 큰 영향력을 발휘했지만 도시가 쑥대밭이 되기도 했다. 번창하던 시대에는 멋진 문화유적을 남겨 우리들도 그 예술성을 극찬했지만, 전장이 휩쓸고 지나간 뒤에는 무덤조차 남기지 못한 사례도 있다. 향기가 나고, 빛이 나고, 찬란한 역사를 남기는 것도 사람이고, 비참하고 치욕적이고 숨고 싶은 부끄러운 시대를 만드는 것도 사람이다.

어느 한 도시가 역사 속에서 부각되고 있을 때는 능력 있는 인물들이 많이 배출되고 활발히 활동하고 있을 때다. 국원소경, 중원경 시절에는 우륵과 강수, 김생 등이 활약하였고, 고려, 조선이 생기던 혼란기에는 법경 대사, 홍법국사와 보각국사와 대지국사가 있었다. 몽골과의 항쟁 시에는 김윤후가 있어 최고의 전과를 올릴 수 있었고, 임진왜란 때는 신립의 패전으로 실망도 했지만 의병장 조웅이 의기(義氣)를 살렸고, 병자호란에는 임경업이 있었다.

성리학이 번성할 때 권근이 있었고, 탄수 이연경이 있었다. 장암 정호(鄭澔)와 묵재 허적(許積)은 영의정이었고, 청백리 손순효와 김세렴이 있다. 명청 교체이후 우암의 제자 수암 권상하, 남당 한원진, 봉계 윤봉구 등 많은 이가 있었다. 한 말에는 화서문인들이 충주 인근에는 주를 이루었던 것 같고 의당 박세화와 그 제자들의 모습도 보인다.

충주에서 음악인이 많이 배출되면 음악의 도시가 되고, 훌륭한 문학가가 나오면 문학의 도시가 된다. 훌륭한 정치가가 나오면 힘 있는 지역이 되고, 경제계의 거물이 나오면 풍성한 고장이 된다. 충주가 역사 속에 묻혀 거론되지 않을 때에는 충주 출신 누구도 중요한 역할을 맡지 못하고 위축되어 있을 때이다.

충주에서 생활하다 보면 가끔 충주사람들이 너무 폐쇄적, 보수적이라는 말을 듣는다. 충주에 와서 30~40년을 살아도 충주사람으로 인정하지 않고 고향을 따져 차별한다는 것이다. 충주에서 생활한 근거만 있어도 조금 폭넓게 충주사람으로 인정해 주면 안 될까? 충주에 와서 근무를 했다든지, 충주에 잠시 잠깐 살았다 해도 충주사람이라고 해주어야 한다.

충주에서 태어나서 충주에서 죽고 자식까지 충주에 살고 있는 사람만을 충주사람이라 한다면 그 수는 실제 얼마 되지 않을 것이다. 이런 사람들 가운데는 출세한 사람이 과연 있을까? 역사에 기록될 만한 인물이 몇이나 될지 의문이다. 충주에서 난 사람이 밖으로 나가 열심히 노력하여 사회적으로 자리를 잡아야 한다. 고향으로 돌아오지 않는다고 하더라도 그는 충주사람이다. 그의 자식들이 타 지역에서 살아도 충주사람의 피는 가지고 있다고 생각된다.

지금은 충주를 떠나 노력하지 않으면 높은 경지에 이를 수 없다. 예수도 고향에선 홀대 당하였듯이 큰 그릇이 되기 위해선 밖으로 나가서 부딪히며 성장해야 한다. 지역에 안주하면 어찌 동량(棟梁)이 될 수 있으랴.

각각의 분야에서 열심히 노력하여 일가를 이루는 충주사람이 있다면 격려해주고 칭찬해 주었으면 한다. 고향에 와서 친구들도 못 챙기는 사람이 무슨? 하고 격하하지 말고 열심히 더 치열하게 노력하도록 힘을 밀어주었으면 좋겠다.

음으로 양으로 충주와 연관된 사람은 전생부터의 인연의 끈이 있는 까닭이니 충주사람이라 생각하고 충주사람으로 만들었으면 좋겠다. 조금 서운하다고 금방 표 내지 말고 따뜻한 마음으로 끌어안는다면 충주사람의 수는 훨씬 늘어날 것이고, 역으로 충주의 힘도 더욱 커질 것이라 생각된다.

중원문화권 이야기

중원문화라는 이름이 처음 등장한 것은 1980년대이다. 5공화국이 등장하며 민심을 아우르기 위하여 서울 중심의 국가체제를 지방도시로 관심을 돌리면서 시작된 용어로 보인다. 지방을 활성화하려는 방안으로 등장한 것이 삼국시대 고구려, 백제, 신라, 가야로 나뉘며 분권화된 모습에 착안한 것이라고 할 수 있다. 남북이 분단된 모습 속에 신라, 백제, 가야로 문화권을 나누고 그 문화적 특성을 조사, 연구하며 지역문화의 융성을 꾀하자는 논리에서 출발한 것이다.

3국 체제를 중심으로 나누다 보니 빠지는 지역이 충청북도와 강원도, 제주도였다. 이에 충청북도와 강원도 남부, 경기도 남부지방을 묶어 중원문화라고 이름 지어 보충하고, 제주도와 해안 도서를 합쳐서 제주도 및 해안도서문화권이라 하는 데서 5대 문화권이 확정되었다.

이는 지극히 정치적이고 행정 편의적인 발상이지만 신라, 백제, 가야는 너무도 자연스러운 문화권의 구분이기에 문제가 되지 않았다. 제주도와 해안도서 문화권도 육지의 다른 곳과는 엄연히 다른 바다를 함께한다는 특성이 있기에 나름 자연스러웠다고 생각한다.

그러나 중원문화권은 다른 문화권의 중심이 가지는 특성처럼 신라, 백제, 고구려 등 특정 시대나 나라에 국한해서 설명하기 어려웠다. 신라문화권은 경주를 중심으로 하며 신라가 영향력을 행사했던 지역인 경상남북도 전체를 포괄하여 문화권을 설정하였다. 그렇기에 신라라는 왕도의 특징을 정리하며 문화의 성격을 말하기가 비교적 수월하다.

백제문화권은 백제의 첫수도인 한성백제부터 시작하여 웅진(공주)으로 도읍을 옮겼고, 이를 다시 사비(부여)로 옮겼기에 서울과 충남, 전라남북도가 그 중심이 되어 그 지역적 특성과 문화를 설명하기 편하다. 가야문화권 역시 4국 중 하나였던 여섯 가야연맹체 지역이 김해, 고령, 창녕, 합천 등의 지역이기에 경상도와 전라도의 중간지대로 그 문화적 성격이 비교적 뚜렷하다.

이에 반하여 중원문화권은 신라문화권의 주변이고, 백제문화권의 변방이었다. 가야인이 사민(徙民) 되어 섞이긴 하였지만 중원문화의 특징을 말하기는 매우 어렵다.

1983년 중원문화권에 대한 학술대회를 할 때 대부분의 학자들은 문화권의 설정 자체도 넌센스라고 말하였다. 그러나 충주 고구려비가 발견되고 충주댐 수몰지역에 대한 발굴조사에서 다양한 유적들이 쏟아져 나오고, 그 자료나 결과 또한 예사로 보아 넘길 수 없는 자료들이 확인되면서 달라지기 시작하였다. 중원문화권은 삼국문화를 이야기할 때는 주변문화에 해당하나 선사문화에 관하여는 한반도의 시원(始原)문화적 성격이 뚜렷하다. 단양 금굴 유적을 비롯하여 제천 점말 용굴, 단양 구낭굴, 수양개 유적 등은 한강을 중심으로 발달한 구석기유적인데 전국 어느 문화권보다 빠르고 존재자체가 뚜렷하기에 중요하다.

또 고대국가가 힘이 있느냐 없느냐의 차이는 발달된 철제 무기를 가지고 있느냐의 여부에 달려있다. 힘의 근원이 되는 물질인 철(鐵)에 주목한다면 충주를 중심으로 문화권의 형성이 당연히 설정될 수 있을 것이다. 최근 진천 석장리의 철제련소를 비롯하여 충주지역에서 국제적 교환의 단위가 된 철정이 충주 탄금대에서 40정이 출토되었고, 철 제련소가 계속해서 조사되고 있다. 여기에 철 제련에 필요한 탄요 등의 조사도 활발하게 이루어지고 있는데 전국에서 조사된 탄요의 과반수가 충주에서 확인되고 있다. 이러한 자료의 축적이 이제는 충주가 중원문화권의 중심도시라고 충분히 말할 수 있을 정도가 되었다.

그러나 중원문화권은 정치적, 경제적, 문화적 중심이 된 적이 없었기에 그 성격이 모호하다는 말을 계속 듣는 것 같다. 처음에는 정치적 의도로 만들어진 것이었으나 지금은 문화권으로서의 중요도를 차분히 인정받고 있는 데까지는 다다른 것 같다. 최근 중원문화에 대하여 학술대회를 개최하면 존재의 문제를 거론하는 학자는 찾아볼 수 없고, 그 성격을 어느 시대에 맞추어야 할지를 고민하고 있음을 본다.

충주의 역사를 살펴보면 다른 도시에서는 가질 수 없는, 모든 시대를 통사적으로 설명할 수 있는 많은 요소가 있다. 충주가 갖고 있는 문화적 특징 하나만을 가져도 다른 도시에서는 크게 부각시켜 특성화시킬 수 있는 역사 문화적 요소가 많이 있다.

충주의 문화유적들

충주에는 각 시대를 대표하는 많은 문화유적이 있다. 초기 철기 시대를 대표하는 충주 호암동의 적석목곽토광묘가 있고, 원삼국 시대의 금릉동 유적을 비롯하여 노은 문성리 유적이 있다.

충주 고구려비는 고구려의 남방진출을 설명할 수 있는 귀한 자료이고, 탄금대 토성내 공방지에서 발굴된 철정 40매는 백제의 부흥을 이야기할 수 있는 자료이다. 누암리고분군, 탄금대를 활용하면 신라문화의 독창성과 끈기를 말할 수 있고, 가야금으로 상징되는 예향을 만들 수 있다.

충주 대림산성과 덕주산성 등에서는 대몽항쟁을 통한 충주지역민의 강인함과 국가에 대한 충성, 애국심을 확인할 수 있다. 이는 민족 고유의 무술이고, 세계무형문화유산인 택견과 합쳐지면서 세계 무술의 중심도시가 되었다.

고려를 대표하는 숭선사지, 정토사지, 미륵대원지, 의림사지와 법경

대사, 홍법국사는 고려 불교의 중심이 되며, 청룡사에서 주석한 보각국사와 억정사에 계셨던 대지국사를 합치면 조선시대 불교사상의 중심이 되기도 한다.

첨단산업단지, 기업도시 등의 개발을 통해 확인된 많은 철 관련 자료들은 학계를 흥분시켰으며, 충주에 철 관련 전문연구기관의 설립이나, 일본의 타다라 철박물관 같은 세계적인 철박물관의 건립, 또 철 축제 등의 추진이 건의될 수 있는 충분한 소재가 된다.

이 외에도 충주는 충주사고, 가흥창과 목계, 임경업과 충렬사, 충주 관아와 유림, 의병, 6·25에 이르기까지 다양한 역사, 문화적, 문학적 소재가 풍부한 곳이다.

〈충주 고구려비〉

충주는 우리나라의 유일한 고구려비 하나 만으로도 자랑스럽게 고구려의 상무정신을 이야기할 수 있다. 남북한 통틀어 고구려인이 만든 비석은 충주 고구려비가 유일하다. 광개토왕비와 집안고구려비도 고구려인의 작품이지만 불행하게도 지금은 모두 중국 땅에 있다.

충주 고구려비를 설명하기 위해 충주 고구려비 전시관이 비석이 발견된 가금면 용전리에 만들어져 있다. 많은 관람객들이 찾아오는 명소가 되었는데, 이곳을 찾는 이들은 한결같이 전시관의 규모가 너무 작다고 지적한다. 고구려 문화의 우수성을 잘 설명하고 있어 좋으나 고구려의 웅혼한 기상을 만나볼 수 있으리라는 기대에 크게 못 미처 유감이라는 것이다.

개인적으로도 충주 고구려비가 가지는 의미에 비해 전시관이 너무 작다는 생각이 든다. 외형도 컨테이너를 몇 개 붙여놓은 것 같다. 고구려 문화를 이야기할 수 있는 곳으로 남한에서는 거의 유일한 지역이 충주인데, 적어도 광개토대왕비, 장수왕릉이라는 장군총 등과 비교 전시하여야 된다고 생각한다.

충주 고구려비 전시관의 모습도 고구려비가 장수왕 때에 제작된 것이라면 외형을 장군총처럼 만들고, 그 장군총 안에 전시관을 만들어 놓으면 멀리서 보아도 고구려비가 저곳에 있구나 하는 생각을 가질 수 있었을 텐데 하는 아쉬운 생각이 든다.

이런 현상은 우리 충주에 한정된 건 아니겠지만 전시관의 외형만 보아도 어떤 성격의 문화재가 그곳에 있는지 알 수 있어야 한다. 다른 나라를 여행하며 큰 코뿔소상이 산꼭대기에 동상처럼 세워져 있기에 무엇이냐고 물었더니 코뿔소 화석이 대량으로 출토된 구석기 유적이 있다는 표지라는 설명이었다. 둥근밑빗살무늬토기 모양으로 만든 조형물이 있는 신락(新樂)유적전시관도 인상적이었고, 중국 소림사에 무술을 보급한 달마대사 상이 소림사 부근에 크게 설치되어 소림무술학교가 있음을 느낄 수 있었다.

우리도 충주 고구려비 전시관을 우리 민족의 크고 웅대한 고구려 문화를 새롭게 공부할 수 있도록 외관부터 시작해야 할 것이다.

문화유적을 보존하고 계승발전 시키기 위한 노력은 민족정신, 민족혼과 관련된 것이기에 철저히 조사되고 연구되고 온전하게 후손들에게 물려주어야 할 것이다.

〈누암리 고분군〉

충주시 가금면 누암리, 용전리, 하구암리 일대에는 약 1,000여기에
달하는 신라시대 고분군이 있다. 지난 80년대 초 충북대학교 박물관
팀에서 조사하여 대규모 무덤유적이 있음을 확인하였고, 그 주인공이
신라의 귀족이었다는 사실을 밝혀냈다. 그리고 그 주인공들은 국원소
경이 되며 신라에서 사민된 사람들이란 사실이 확인된 것이다. 『삼국
사기』에는 557년에 신라의 진흥왕이 충주를 소경으로 삼으며 신라 수
도의 6부호민 및 귀척자제를 사민시켰다는 기록이 보이는데 바로 누암
리 고분군이 그 증거인 것이다.

이 누암리 고분군은 국가사적 463호로 지정되어 약 40여기에 달하
는 고분군만이 복원되어 있다. 보통 신라의 고분은 경주에 수학여행
을 가서나 볼 수 있는데, 충주 누암리를 찾는 사람들은 경주에서나
볼 수 있는 큰 고분을 보고 매우 신기해한다.

누암리 고분군은 봉분만 복원되어 있고 그 주변을 둘러볼 수 있는
정도이다. 이곳에서 출토된 유물을 볼 수 있는 작은 전시관도 없고,
무덤방이 개방된 곳도 전혀 없어 재미가 없다. 봉분에서 출토된 유물
은 모두 국고로 귀속되어 국립청주박물관 등에 가 있는 상태이다. 누
암리 고분의 흔적은 충주박물관에서 일부 확인되고 있으나 크게 미흡
하다. 국립중원문화재연구소에서 발굴한 제45호분에서는 무덤이 함
몰되지 않고 무덤방과 천정이 그대로 남아 있었다. 이 고분의 모형이라
도 만들어 관람객들에게 공개한다면 누암리 고분의 가치가 더욱 높아
질 것이다.

누암리 고분을 발굴한 연구자들은 누암리에서 출토되는 유물이 경

주의 왕릉에서 출토되는 유물보다는 떨어지지만 지방에서 출토되는 유물 중에 가장 수준 높은 것이라는 평가이다. 이는 충주가 경주의 버금가는 도시로 지방중심도시가 되었다는 증거가 된다. 또 신라에서는 충주를 기반으로 북방진출의 교두보로 삼았다는 분명한 자료가 된다. 이러한 사실을 널리 알리고 관광자원화 하기 위해서는 누암리 일대에 대한 조사범위를 좀 더 넓혀 구역을 확대하였으면 한다. 자연스럽게 고분을 산책하는 길도 만들고, 또 하구암리 일대의 도로 옆 밀접한 고분군도 조사하여 복원한다면 충주의 이미지 쇄신에 큰 역할을 하리라 기대한다.

〈 탄금대 〉

탄금대는 국가 명승으로 지정된 공간이다. 우륵이 가야금을 탄주한 곳이었다는데서 탄금대라 하였다 한다. 이 탄금대는 충주사람들에게는 가장 대표적인 추억의 장소이다. 초등학교 때 봄가을로 12번을 소풍 다니던 곳이며, 충주의 크고 작은 행사가 이곳에서 열렸다. 역사 속에서 탄금대에는 우륵과 신립 두 사람의 이야기가 유명하다.

우륵은 가야 사람인데 대가야가 패망하고 신라가 사민정책을 쓸 때 충주로 와서 정착하였던 인물이다. 진흥왕이 충주에 순수하였을 때 하림궁에서 우륵을 불러 가야금을 연주를 시켰는데 그 소리가 좋아 법지, 계고, 만덕이라는 제자를 각각 가르치게 하였다는 이야기가 『삼국사기』를 통해 전해지고 있다. 이로 인해 충주에서는 우륵문화제를 벌써 40여 년째 계속하고 있다.

신립은 임진왜란 때 삼군도통사로 조선의 운명을 건 전투를 탄금대에 배수진을 치고서 벌린 조선의 명장이다. 조선을 침략한 왜장 고니시 유키나가(小西行長)의 침략군을 맞아 싸웠지만 중과부적(衆寡不敵)으로 패전하였다. 그 결과 선조가 피난길에 오르게 되었고 조선의 운명을 바꿀 지리한 전쟁에 시달리게 된다. 신립의 탄금대 전투에 대하여 많은 이들이 아쉬움을 말한다. 새재의 지형지세를 이용하였더라면 전쟁의 양상이 바뀌었을 것이라는 가정으로 하며 승리하지 못함을 책한다. 그 아쉬움은 전쟁 후 「달천몽유록」 등으로 표출되고 있다. 그러나 신립은 전장에서 목숨으로서 의기를 표현했던 조선의 맹장임에는 틀림없다.

이러한 우륵과 신립의 이야기 외에 최근 탄금대 토성이 발굴되었다. 그 안쪽에서 작은 공방터 하나가 발굴되고, 이곳에서 철정 40매가 출토되었다. 이는 충주에서 만들어진 덩이쇠로 고대국가의 가장 중요한 교역 품목이었다. 이 덩이쇠를 이용하여 철제 농구와 무기를 자유로이 만들 수 있기에 주목되었고, 일본으로 수출하던 철정의 실물이 확인되었다는데서 큰 의미를 가진다. 이와 더불어 탄금대 남서쪽 기슭에서는 백제시대 철제련소가 발굴되어 큰 관심을 받았다. 이는 충주의 역사를 살지게 하는 귀한 발굴이라 생각한다.

현재 탄금대 주변에는 무술공원이 대규모 조성되어 있다. 충주세계무술축제를 비롯하여 우륵문화제, 호수축제 등 충주에서 각종 크고 작은 축제가 개최되는 참 멋진 공간이다. 국립중원문화재연구소와 충주세계무술박물관 등의 기관도 이곳에 위치하여 시민들에게 휴식의 공간이 되고 있다.

탄금대에서 아쉬움이 남는 것은 탄금호에 대한 활용이 매우 빈약하다는 것이다. 중앙탑 공원을 중심으로 세계조정선수권대회가 개최되어 조정선수들에게는 좋은 훈련장소가 되었다. 또 수상스키 동호인들이 구역을 나누어 수변을 일부 사용하고 있다. 그러나 탄금호를 일반시민 및 관광객들에게도 편리하게 이용할 수 있도록 준비되어야 한다. 유람선을 띄워 탄금대 열두대 풍광을 돌아보고 새로 지은 사휴정(누암, 옥강, 하담, 목계에 있었던 정자)에도 올라 시를 지으면 좋겠다. 또 탄금대 아래 용섬에 가득 붉은 꽃을 피워 화원을 만들었으면 한다. 탄금대에서 죽어간 호국영령들도 위로하고 섬에 가득한 꽃을 바라보는 호사도 누렸으면 한다.

〈 대림산성 〉

충주의 진산인 대림산에는 봉수대와 산성 터가 남아 있다. 봉수대는 낮엔 연기를 올리고, 밤엔 봉화를 올려 국가의 위기 상황을 전달하던 통신망이다. 충주에는 부산에서 서울로 올라오는 2거봉수의 노선들이 올라오는 중요한 지역이다. 대림산에 있는 봉수는 문경의 탄항 봉수에서 넘어와 수안보면 미륵리 마골재 봉수를 지나 주정산 봉수에서 연락을 받는다. 주정산 봉수대에서 대림산 봉수로 연락이 오면 이를 대소원면의 마산 봉수로 연결하도록 망이 짜여있다.

대림산성은 대림산 정상의 능선부 및 서쪽 계곡을 둘러쌓고 있는 삼태기처럼 생긴 포곡식 산성이다. 길이는 거의 5km에 달하고, 산성의 높이는 남아있는 성벽으로 보아 높은 곳은 5~7m정도이며, 낮은 곳은 험한 능선을 그대로 이용한 구간도 있다. 토석혼축성으로 창동마을을 품안에 품고 있다. 이 산성은 충주민들이 읍성과 더불어 방어망을 구축하던 산성으로 대몽항쟁을 승리로 이끌었던 역사적 장소로 비정되고 있다. 비록 강 건너 높은 산에서 보면 성안이 들여다보이는 단점이 있으나 방어용으로는 손색이 없다고 평가된다.

이 산성은 우리 민족이 겪은 최대전란의 승전지라는 점에서 주목된다. 민, 관, 군이 모두 힘을 합쳐 당대 최강의 적을 물리쳤다는 사실은 상무정신의 표본이다. 국난극복과 애국의 최고 상징이기에 호국의 성지로 되살려야 한다.

충주는 택견의 메카이기도 하다. 택견은 국가중요무형문화재이며 세계문화유산으로 지정까지 받았다. 더욱이 충주에서는 세계무술축제를 거행하고 있고, 세계무술연맹은 유엔이 인정한 NGO 단체로 성장하였다. 이러한 배경이 바로 대림산이다. 이곳에는 조선 시대 병자호란의 명장 임경업의 수련지인 삼초대까지 있다.

대림산성에서 탄금대, 탄금대에서 대림산성까지 달천강 둑을 따라 10km 호국의 길을 만들어 도보행군을 하며 호국전적지 순례를 해도 좋을 듯하다.

문화유산 활용하기

충주에는 지정된 문화재만 2015년 8월 말 현재 모두 101건이 넘었다. 국가지정 문화재가 23건이고, 도지정 문화재가 문화재 자료 16건을 포함하여 78건에 이른다. 이러한 문화유산들은 시대별, 세대별, 계층별, 문화별로 각각 다양하게 얽혀있다. 또 각각의 문화재는 서로 유기적으로 연결되어 있다. 이러한 문화재를 일일이 소개하기는 어렵지 않으나 나머지는 전문가에게 맡겨야 할 것이다.

나의 과제는 이러한 풍성한 문화유산을 어떻게 우리의 자원으로 이용하여 관광자원화 할 수 있는지에 대하여 고민하는 것이다.

충주의 역사문화자원은 풍요 속에 빈곤을 느끼고 있다. 그런데 이런 많은 역사, 문화적 특징을 충주는 제대로 꿰지 못하고 있다. 개별적 역사자료들은 영롱한 구슬임이 분명한데 이를 제대로 활용하지 못하고 있다. 이를 실용적인 목걸이로 만들어 제대로 활용한다면 많은 이들이 충주를 찾게 될 것이다.

현재 충주지역의 역사문화유산은 꾸준히 증가하고 있다. 최근 호암동 일대에서 많은 문화유적이 발굴 조사되어 충주가 역사문화의 도시임이 크게 부각되고 있다. 많은 보도로 전 국민들의 관심을 불러일으켰을 뿐 아니라 시민들 또한 큰 자부심을 느끼고 이를 어떻게 보존할 것인지 큰 관심을 가지고 지켜보고 있다.

호암동에서 나온 유적을 보면 호암 택지개발지구 내에서 '용산사(龍山寺)'명 기와가 출토된 기와가마터들과 충주읍성의 외성으로 큰 관심을 끌고 있는 500여m가 넘는 토성유적이 확인되었다. 또 인근의 충주 종합스포츠타운 조성지구에서는 초기 철기 시대 청동유물을 다량 포함한 적석목곽무덤이 발굴되었다. 국보급 문화재라는데 이견이 없어 충주의 문화재 수는 더 늘어날 전망이다.

이러한 문화재는 각 시대를 대표하고, 각 계층에 따른 특색 있는 소리를 내고 있다. 각각의 문화재들을 잘 꿰어 정리하고, 역사성과 문화적 특성에 맞게 엮는다면 최고의 관광자원이 될 것이다.

지금 뜻있는 시민들은 읍, 면, 동 사무소 이전 신축에 수십억씩 투자

되는 것을 손가락질 한다. 지금의 공간이면 충분하며, 건물이 커질수록 관과 민의 관계는 점점 멀어질 수 있다. 충주의 백년대계를 생각한다면 지방특성에 맞게 지역역사 문화기반을 건실하게 하는데 우선 투자를 해야 한다. 작게 소규모로 쪼개 나열하기 보다는 충주를 찾는 이들이 누구나 꼭 들려가는 문화의 중심공간을 만들어야 한다.

디테일한 도시로 승부를 걸자

이중환은 『택리지』에서 충주읍을 '구설(口說)이 많은 도시'라고 하였다. 지금의 충주 중심지를 말한 것인데 역으로 다양한 의견이 개진되는 활성화된 도시라 해석해도 무방하리라. 충주를 소개하는 끝에 사람 살기 어려운 곳이라는 것을 보면 분명 나쁜 뜻으로 이야기한 것이 분명하다. 이를 극복하는 것은 충주인들의 몫이다. 남을 모해하는 구설을 다양한 의견으로 승화시키면 바람직하고 멋진 아이디어가 창출될 수 있다. 또 그렇게 만들어야 하는 것이 충주에 사는 우리들의 진정한 의무일 것이다.

부정적인 구설들을 제대로 승화시켜야 충주는 재탄생할 텐데, 승화된 다양한 의견을 모아 충주를 디테일하게 리모델링 해보았으면 좋겠다. 적어도 충주를 중원문화권의 중심도시로 만들고 싶다면 다양한 의견을 수렴한 마스터 플랜을 마련해야 한다. 이곳에 사는 사람들이 꿈꾸는 충주를 상정하고, 지금까지 발전해온 추이를 감안한다면 미래의 충주 모습이 그려질 것이다.

거대한 역사의 흐름을 뒤바꿀 수는 없어도 충주인의 의지를 첨가하여 지향하는 도시 형태로 바꿀 수는 있을 것이다. 문화도시, 생태도시, 역사도시, 노인도시 등 어떤 것이 되더라도 의지를 모아보자. 몇 가지의 콘텐츠를 묶어 지향점을 선택하면 될 것이다.

이에 따라 종합적 플랜을 마련하고 그대로 한걸음씩 전진해 나가보자. 그래야 충주시장이 바뀌고 국회의원이 바뀌어도 정치적 이해에 부화뇌동하지 않고 바르게 지속적으로 추진할 수 있을 것이다.

여기에 디테일을 첨가하자. 충주가 어떻게 가야 할 목표점이 생기면 그 목표를 향해 무조건적으로 돌진하기보다 하나하나 세부적으로 구상하며 디테일하게 접근해야 하리라.

돌 하나 풀 한 포기를 심어도 왜 거기에 심어야 하는 가를 생각해서 심고, 배수구 하나를 만들어도 모양을 생각하고 뚜껑에도 의미를 담아 덮어야 내가 바라고 우리 모두가 바라는 충주가 될 것이다. 집을 한 채 지어도 독창성과 더불어 주변과의 조화와 어울림의 미학을 생각하며 지었으면 좋겠다. 가로수를 심고, 가로등을 달고, 입간판을 내걸 때에도 후손들에게 물려줄 충주를 생각하며 좋은 느낌을 담뿍 받을 수 있도록 아름답고 정겹게 만들어 보자. 우리의 마음과 정성을 담아서 말이다.

예부터 충주는 삼등산의 고장이라고 했다. 천등산, 인등산, 지등산의 삼등산이 있고, 그 기운을 받아 진인이 태어나며, 그 진인은 천, 인, 지 삼재가 어우러져 조화롭게 되는 참세상을 만든다고 했다.

우리 조상들은 진인이 태어나길 바라며, 기다리면 언제인가는 등장할 것이라는 믿음 속에 살아왔다. 그러다 보니 의존적이고 피동적일 수밖에 없었다고 생각한다. 첨단 시대를 사는 우리가 이를 답습해서는 안 된다. 이 세대를 사는 우리 모두가 진인이 되어야 한다. 우리 모두가 전설 속 진인이 되어 우리가 사는 충주를 하늘과 사람과 땅이 조화롭게 어우러지는 그런 고을로 만들어 보았으면 좋겠다.

충주를 감싸고 있는 한강과 달천은 진짜 우리의 보물이 될 것이다. 천인지 삼등산과 계명산, 대림산, 금봉산, 장미산, 보련산, 평풍산, 을궁산, 국망산, 청계산, 미륵산, 월악산 등은 이 땅에 사는 모든 사람들과 더불어 묵묵히 지켜보며 우리를 따스하게 안고 있다. 그 품 안에서 골골마다 어우러진 자그마한 집을 짓고 옹기종기 모여 사는 주인공이 우리들이어야 한다.

어느 하나만이 강조되어 군림하려 하면 조화가 깨질지도 모른다. 그러나 한 차원 높게 양보하고 포용한다면 진인이 꿈꾸는 이상향 충주가 꾸려질 것이다. 이렇게 할 때 우리 고장 충주는 미래 대한민국의 중심고을, 전 세계의 중심고을이 될 것이다. 늦었다고 생각되는 지금부터 충주 시민들은 큰 충주를 만들어 가는 초석을 놓고, 각자 초석이 되도록 다짐해보자.

통 큰 도시 충주를 만들어 보자

충주의 문화관광을 활성화하기 위한 대안은 문화유산이 아무리 많다고 하여도 모두를 끌어 안고 갈수 없기에 선택이 필요하다. 선택도 통 큰 선택을 하여야 한다.

충주문화를 상징하는 대표적 유물과 유적은 중앙탑과 충주 고구려비, 그리고 탄금대이다. 이것이 가장 중요한 충주의 보물이다. 이 유적이 있는 공간을 크게 문화관광 중심축으로 보고 모든 투자를 집중할 필요가 있다. 탄금호와 누암리 고분군은 당연히 이 공간에 포함시킬 수 있다.

탄금대 주변의 무술공원에서 시작하여 충주 고구려비 주변까지를 문화유산 관광축으로 만들어야 한다. 중앙탑 주변을 더 이상 난개발이 되지 않도록 경계하며 충주박물관 뒤편에서 칠금에서 북충주까지 이어지는 국도 사이의 농경지를 모두 매입하여 대규모 연꽃단지로 만들면 좋을 것 같다. 이 지역은 대부분 논으로 경작되는 지역이므로 토질 또한 연꽃단지를 조성하기에 딱 맞다. 중앙탑, 충주 고구려비, 누암리 고분군, 세계조정경기장으로 둘러싸인 공간에 대규모 연꽃단지가 들어선다면 북충주 IC를 이용해 충주로 들어오는 사람들에게 최고의 인상을 심어줄 수 있을 것이다. 이곳에 있는 충주박물관도 위상에 맞게 확대하여 중원문화권의 중심 박물관답게 개편되어야 할 것이다.

두 번째는 엄정 목계마을부터 가금 가흥을 거쳐 앙성면으로 연결되는 고미술품 거리를 활성화하여 외지 관광객을 끌어들일 수 있는 기틀을 마련하는 것이다. 고미술 상가는 자연발생적으로 형성된 거리로 전국에서 가장 고미술상들이 밀집되어 있는 공간이다.

이곳을 잘 활용하면 외국인 관광객들을 대규모로 유치할 수 있게 된다. 나는 이런 지역적인 특색을 살리기 위해 지난 8대 의원 시절(2006~2010) 제1회 대한민국 고미술축제를 개최하도록 예산을 지원했다. 당시 정우택 도지사와 함께 이 일대를 대한민국 최고의 고미술 거리를 만들고자 하는 야심 찬 계획을 세웠었다. 지금도 이 생각은 변함이 없다.

그러면 고미술품에 관심 있는 국내외 많은 관광객이 몰려들어 미술품을 사고팔 수 있는 공간이 될 것이고 좋은 볼거리를 제공할 수 있는 장소가 될 것이다. 고미술품 거리를 보다 관광특구 화하여 보다 적극적으로 투자하는 것이 필요하다.

영월에서 박물관을 다수 유치하여 박물관의 도시를 만들어 나름 성공을 거두었다면, 거칠기는 하지만 고미술 거리는 다양한 문화재를 직접 손으로 만져보며 구입할 수 있다는 장점이 있다. 그 속에서 우리의 역사를 이야기할 수 있고 상품화한 문화이긴 하지만 다양한 소재를 공유할 수 있는 공간으로 꾸밀 수 있다. 여기에 수석과 목가구, 분재, 목각, 공예 등이 어우러지고, 우리 꽃 등이 공존한다면 독특한 문화의 거리로 성장할 가능성이 매우 크다. 따라서 이곳에 더욱 과감하고 통 큰 투자가 필요하다.

세 번째 공간은 충주의 구도심이라고 할 수 있는 관아 주변이 중요하다. 충주의 역사가 시작되고, 충주사람들의 삶이 구체화된 곳이다. 과거와 현재가 공존하는 구간이다. 이곳은 별도의 개발보다 디테일한 정비가 필요하다. 골목길을 그대로 살리고, 동네 사람들의 이야기가 살아있는 공간으로 만들어야 한다. 이곳에서 생활한 사람들의 모습을 되살리고, 정감 있는 추억이 숨 쉬는 공간을 만들어야 한다. 큰 건물을 짓기보다는 허름하나 정이 넘치는 찻집이 있었으면 좋겠다.

가구점 골목엔 충주 읍성의 북문이 복원된 속에 엔틱가구와 공예품이 만들어지는 공간도 어우러지며, 관찰사 밥상을 먹을 수 있는 그런 식당이 있었으면 좋겠다. 골목길을 탐방하던 아이들이 자랑스러운 선배들의 이야기를 들으며 내가 사는 고장에 대한 자부심을 느끼는 공간이 되었으면 한다. 그리고 관아 주변에 충주사고를 재현하였으면 좋겠다. 역사의 박제된 공간이 아닌 국가기록물 및 지역자료를 보관할 수 있는 장소, 많은 자료와 정보를 공유하여 미래 동력을 재창출할

수 있는 공간을 만들었으면 한다. 도심의 재생이 삶의 풍성함을 보장
해 주며 다양한 체험을 통해 미래를 담보할 수 있는 방향으로 시도되었
으면 한다.

사랑하는 가족들

그동안 분에 넘치도록 사랑해주시는 여러분이 있었기에,
죽도록 사랑하는 가족이 있기에, 앞으로도 더 열심히 일할 수
있는 스스로의 용기와 희망이 있기에 나는 너무나 행복하다

"아빠가 떨어졌는데 가족이 제일 중요한 것 아냐?,
아빠의 아픔이 나의 아픔인데 내가 아빠를 위로해드려야...
그러면서 아들은 내 뒤로 와서 등을 꼭 껴안는 것이...
순간 뭐라고 표현할 수 없는 감격이 밀려왔다.

동석이가 세상에서 제일로 사랑하는 엄마·아빠에게 ♡

오늘은 11월5일. 화요일로 넘어가는 밤 12시.
오늘하루도 머는 원&인간이 주말에 집에 내려와서 청소하고
빨래하고, 아주 아무튼 누나의 어지러움은 세상누구보다
대단한거 같아.
지금 샤워하고 침대에 누워서 엄마 아빠한테 편지쓰는중.
한국을 떠난지도 벌써 2달이야. 일년의 4분의 일을
한국에 있었는데 말이지. 여기 다시돌아오니 어색한것
없이 바로 학교에 적응하느라고 정신 없었던건 같은데.
이제는 겨울됐다고 친구들과 테니스도 치고 운동도 하는것
보면 시간 지나는것은 타고 났나봐.
여기 날씨가 제법 추워져서 밤에는 츄리닝에 양말까지
신어야 할정도로 기운이 뚝 떨어졌어. 한달만 더지나면
함박눈 또 오거나고 그러면 나도 성탄의 품턱에서 한걸음
가까워 지겠네.
엄마아빠 건강은 잘 지키고 있지? 싸움도 많이 줄이고 있고?
주일마다 교회가서 기도하고 엄마·아빠를 기도해, 아니
하나님을 의지하는것이 아니라, 계속 걱정되고. 엄마 아빠가
몸만리는 서로 걱정해주면서 잘하겠지요.
이번년도에는 누나가 잘됐으면 하는 소망이 있어.
나때문에 명문대도 못가고 동네에 있는 대학교를
간 누나 생각하면 미안하고 감사해.
엄마 아빠 너무 보고싶다. 항상 힘들게 돈 벌고
아낄모등 생각하면서 일분 일초 아끼면서 나의
자식을 발전시켜 나가야 하는데 마음대로 그렇게
되는게 쉽게 아니네.
매사에 감사하고 돈아끼고 공부 열심히 해서 좋은 성적
받는거. 세상 살면서 경쟁이 가장 낮은게 공부라 하지만..
잘할수 있겠지. 잘할꺼야.

학교생활도 학교공부도.
엄마 아빠도 쉬엄쉬엄, 즐길게 즐기고 문화생활
여가생활 잘하고.
내년에는 나가서 집도 이쁘게 꾸며야 되는데.
집이 너무 커서 걱정이야.
이제부터 엄마아빠한테 편지 자주 써야 되겠다.
나중에 대통령 되면 이런 편지한장도 국보급
보물이 되니까.
엄마아빠 쌍 사랑해.
오늘도 좋은 하루되고 항상 행복하세요.
　　　　　　　　　- 아들 동석 -

딸 혜영이의 편지

제가 너무 사랑하는 두분. 엄마, 아빠 보세요...

오늘은 1월 13일...

시간이 참 빠른것 같아요.

눈이 펑펑 오던날, 이 학교에 처음 왔던때가 엄마지나지

않은것 같은데...

엄마 아빠없이 하루두 못 살것 같았는데....

벌써 시간이 이렇게 지났어요..

두 분께   너무 죄송해요.

항상 두 분의 기대에 미치지 못하는거 같아서요.

두분은 이세상 최고의 부모님인데,

저는 이세상 최고의 딸이 되지 못해 너무 죄송해요.

엄마 아빠를 떠나 많이 힘들었던것 같아요.

그동안 엄마 아빠 밑에서 겪어보지 못한

경험도 많이 했구요.

너무 힘들땐 포기하고 싶었어요.

충주... 그 곳이 너무 그립더라구요.

하지만 이젠....

그렇게 생각하지 않아요.

그동안의 시간들...

너무 힘들었던 시간들은 앞으로 제가

사회에 나가 사회경험을 할때 아주

중요한 밑거름들이 될 것이라고 생각해요.

맞죠?

오늘은 엄마 아빠가 너무 보구 싶어요.

가끔 이럴때 . . . . .

그동안 너무 기가 죽어 산것같아요.

그래서 자신감도 잃구요.

근데, 자꾸 제 자신을 낮출수록 더욱더
낮아지더라구요 . . .

제 자신을 높여야겠어요.

자신감두 ~~다 시작~~ 다시 찾구여.

모든일에 최선을 다하구요.

아빠 말씀대루요.

이번 기말고사때는 한번해볼께요 . . .

딱 15일 남았습니다.

까짓것, 해보죠 . . .

엄마아빠의 자랑스런 딸이 되기위해 . . .

몸 건강하세구요 . . .

엄마, 아빠 사랑해요 . . .

진짜루요.

— 딸 혜영 올림 -

For Your Dream
충청일보

美 뉴욕대학원 동반합격 남매 화제

이혜영·동석씨, 충북 출신 최초 겹경사

2009년 3월 23일

▲ 이언구 충북도의원 가족.

충주 출신 이동석(24)·혜영씨(27) 남매가 미국의 고등학교 대학생들로부터 선호도 1위로 꼽히는 뉴욕대학교 대학원에 충북인 최초로 합격해 화제다.

이동석씨는 충주에서 충일중학교를 졸업하고 지난 2001년 미국으로 건너가 열심히 노력한 끝에 UCSB대학에 입학, 오는 6월 말 졸업을 앞두고 있으며 최근 '뉴욕대학교 대학원 정치학과'에 합격했다.

또한 동석씨 누나 혜영씨도 지난해 치열한 경쟁을 뚫고 뉴욕대학교 치과대학원에 합격, 동생과 나란히 같은 대학원에 다니게 됐다.

혜영씨는 충북과학고를 졸업하고 이화여대에 다니다 동생보다 늦게 지난 2005년 미국 대학에 편입해 유학생 신분으로 연 8000달러가 넘는 장학금을 받으며 대학교를 다녔다.

뉴욕대학교는 미국 아이비리그에 속한 명문으로 치과대 학원은 세계 치의학 부문에서 최고로 손꼽히고 있으며 국제정치 분야 역시 많은 거물 정치인들을 배출하며 세계 정치를 이끌어 가는 중심 역할을 하고 있다.

동석씨는 아놀드슈왈제네거 주지사의 선거캠프에 자원봉사자로 참여, 승리를 이끌어 내며 정치에 처음 관심을 갖게 됐다.

대학교에서 장학생으로 뽑혀 워싱턴 주한미국대사관에서 인턴생활을 하며 한나라당 홍정욱 의원과 나경원 의원이 미국 방문 시 이들을 보좌하기도 했다.

혜영씨와 동석씨의 아버지인 이언구 충북도의원은 "두 남매가 나란히 명문대학원에 들어간 것도 기쁜 일이지만 무엇보다 예의 바르고 곧게 성장한 것에 더욱 고맙다"며 "앞으로 본인들의 꿈을 꼭 이루길 바란다"고 말했다./충주=김상민기자